La France
ce n'est pas ce qu'il y a
de plus grand
c'est ce qu'il y a
de meilleur

Jean Manan (pseudonyme de Jean Clémentin)
a déjà publié :

Aux Éditions Julliard :
Les Mémoires de Bidasses.

Aux Éditions Rencontre et Grasset :
L'Affaire Fomasi.

Aux Éditions Fayard :
Les Poupées de Kirchenbronn.

(Les deux derniers ouvrages sont signés Jean
Clémentin.)

JEAN MANAN

LA FRANCE
CE N'EST PAS CE QU'IL Y A
DE PLUS GRAND
C'EST CE QU'IL Y A
DE MEILLEUR

Sotie

Lettre-préface
de
M. Ludovic Hapié, ancien Premier ministre

JEAN MANAN

LA FRANCE
CE N'EST PAS CE QU'IL Y A
DE PLUS GRAND
C'EST CE QU'IL Y A
DE MEILLEUR

Soire

JCLattès

Sotie : farce de caractère satirique, jouée par des acteurs en costume de bouffon, représentant différents personnages d'un imaginaire « peuple sot », allégorie de la société du temps.

Dictionnaire alphabétique et analogique de la langue française, par Paul Robert (1964).

Monsieur,

Vous avez entrepris d'écrire l'histoire de la France dan
le dernier quart du vingtième siècle, c'est-à-dire l'histoire de
sa renaissance. Vous n'hésitez pas à révéler des faits inconnus
du public, à commencer par les entretiens secrets du Général ave
certains de ses collaborateurs au cours des années 1962-1969.

Je crois bon que nos compatriotes soient enfin mis au
courant du Grand Dessein qu'Il conçut avant de disparaître et de
la manière dont Il le fit réaliser après sa mort. Si vous n'avi
pris le soin de mettre en lumière ces évènements et de les relie
les uns aux autres selon une logique sans faille, les Français
n'eussent jamais rien su de cette grande et noble entreprise
qui a constitué la trame même de la vie de notre cher et vieux
pays depuis l'an de grâce 1974.

Vous renouez ainsi avec une tradition qui sans vous se f[
perdue, l'arétologie, qui est la production d'ouvrages destinés
à l'édification. Votre livre sera le De viris illustribus de la
France de l'an 2000. Quant à notre peuple, qui se fait à juste
titre une haute idée de lui-même, vous lui fournissez une raison
supplémentaire d'autosatisfaction.

Votre tout-dévoué,

LUDOVIC HAPIE.

CHAPITRE PREMIER

Le 18 mars 1977, vers 19 heures, le docteur Pal, gynécologue-accoucheur exerçant rue du Cherche-Midi, à Paris, fut assassiné d'une balle dans la nuque. Le crime eut lieu sur le trottoir, devant le porche de l'immeuble où il tenait son cabinet. Pal était le troisième gynécologue tué à la tombée de la nuit en quittant son travail. Le premier avait été assassiné à Strasbourg le 21 janvier, le second à Bordeaux le 18 février.

Le meurtre de Pal fit plus de bruit que les deux autres, parce qu'il eut lieu dans la capitale où tout résonne plus fort qu'ailleurs en France ; sans doute aussi parce qu'il était le troisième assassinat consécutif commis dans des circonstances identiques : un commando de deux hommes, un guetteur et un opérateur, agissant si vite qu'aucun témoin ne voyait distinctement leurs visages. Une seule balle dans la nuque, au milieu du cervelet ; pas de vol ; aucun mobile apparent.

Un journal avança l'hypothèse de tueurs professionnels agissant pour le compte d'une organisation secrète. Un autre établit une comparaison entre ces homicides et les crimes de l'Armée secrète au temps de l'Algérie française. Peu de lecteurs entendirent l'allusion à des événements si lointains ; ils dataient de quinze ans. Ladite allusion n'expliquait rien, du

7

reste : tout au plus en retenait-on qu'il pouvait s'agir d'exécutions perpétrées pour des motifs politiques. Le *Progrès de Lyon* rapporta qu'un professeur de criminologie de l'école de police de Saint-Cyr-au-Mont-d'Or, interrogé par ses étudiants, avait avoué sa perplexité. Il s'étonnait cependant qu'on n'eût pas prêté plus d'attention aux dates des meurtres ; ils avaient eu lieu tous les trois à vingt-huit jours d'intervalle : le mois lunaire.

– C'est aussi la durée du cycle féminin, remarqua un étudiant, et nous avons affaire à des gynécologues !

– Aucun indice, même apparemment insolite, ne doit être négligé, fit le professeur en approuvant. Mais, ajouta-t-il, nous ne sommes pas là, messieurs, pour mener cette enquête. Pour le moment la théorie nous suffit.

Qu'avaient en commun les trois médecins qui pût justifier, d'un point de vue logique, la similitude de leur trépas ? Tout et rien. C'étaient de modestes et honorables gynécologues-accoucheurs : confort, aisance financière, automobiles cossues avec lesquelles ils participaient à des rallyes pendant les ouiquendes, maisons de campagne, aventures extra-conjugales, partouzes discrètes, congrès en Afrique ou dans les Caraïbes. Question avortements, ils n'en pratiquaient pas plus que leurs confrères ; côté dichotomie, même pondération. De bons bourgeois.

En ce mois de mars 1977 la France était heureuse. On ne parlait plus que pour mémoire de la crise économique des quatre années précédentes. Par un mélange habile de fermeté et de libéralisme, le gouvernement avait réussi à gérer l'imprévisible, à juguler l'inflation, à résorber une bonne partie du chômage, à rendre à nos compatriotes le goût d'entreprendre. Il suffisait de passer un samedi après-midi dans un super-marché pour constater que les Français avaient retrouvé leur joie de vivre. L'opposition, désemparée, continuait de se diviser. Le chef de l'Union de la Gauche, Florentin, tuait le temps en multipliant les voyages d'études à l'étranger. A chacun des déplacements de Florentin hors des frontières, Pécus, le chef du parti communiste, l'accusait de collusion avec Loubard de Mirobol, le président de la République.

La nature elle-même, voulant participer à la fête, avait avancé le printemps. Au cours d'une interviouve à la télé, dans les premiers jours de mars, le Président fit remarquer qu'il n'y avait pas de feu dans sa cheminée ; son sourire, sa courtoisie, son maintien modeste parurent ce soir-là encore plus séduisants que d'habitude. Tout lui réussissait ; il gagnait des points à chaque sondage d'opinion ; les Français, et davantage les Françaises, l'adoraient.

Dans cette ambiance, l'assassinat du troisième gynécologue agaça plus qu'il n'impressionna. Les regards se tournèrent vers Pénibilis, le ministre de l'Intérieur : les défaillances de ses services allaient-elles gâcher le bonheur des Français ?

Mis en cause, Pénibilis fit une longue déclaration publique : après avoir dressé le tableau des résultats acquis dans la lutte contre la criminalité, il annonça qu'il confiait l'enquête sur le meurtre du docteur Pal au commissaire divisionnaire Poilut, chef de la brigade antigang. Créée dans les années 60 sur le modèle des fédéraux américains, cette formation avait la faveur du public ; ses exploits faisaient les gros titres de la presse populaire. Elle prit évidemment en compte, dans la même enquête, les dossiers des crimes de Bordeaux et de Strasbourg. Les experts du ministère de l'Intérieur émirent deux hypothèses de base :

Ou bien il s'agissait de trois crimes présentant plusieurs caractéristiques communes, mais sans rapports réels entre eux. Ou bien il s'agissait d'un seul et même forfait en trois actes.

Dans l'un et l'autre cas il fallait tenir compte de détails étranges. Les meurtres avaient eu lieu à vingt-huit jours d'intervalle. Ces vingt-huit jours pouvaient correspondre à trois choses ; un, c'est le mois lunaire (hypothèse d'un maniaque) ; deux, c'est la durée du cycle féminin (crime d'un pervers sexuel) ; trois, c'est la durée de la période que les officiers et sous-officiers de réserve effectuent de temps en temps à l'armée (prendre contact avec la Sécurité militaire).

Le premier meurtre avait eu lieu le 21 janvier, jour remarquable à double titre : c'est la Sainte-Agnès, c'est l'anniversaire de la mort de Louis XVI ; les experts avaient mis là un double point d'interrogation.

La brigade antigang ne réussit pas mieux à démasquer les tueurs du gynécologue parisien que ceux des deux autres, qui étaient peut-être les mêmes. Lorsque ses limiers se furent convaincus qu'ils avaient épuisé leurs chances de trouver quelque indice révélateur, le divisionnaire Poilut tint une conférence de presse au siège de la Police judiciaire, quai des Orfèvres, le ministre préférant que les insuccès fussent annoncés ailleurs que chez lui, place Beauvau. Le policier apporta un élément dont la publication relança les discussions sur le lien existant éventuellement entre les meurtres : selon le laboratoire de la P.J., les médecins avaient reçu en plein milieu du cervelet une balle de Lüger

9 mm muni d'un silencieux. Mais les trois balles étaient sorties de trois pistolets. Alors trois tueurs ayant chacun un parabellum ou un tueur disposant de trois parabellums ?

Le divisionnaire ne cacha pas sa perplexité. Il était probable, dit-il, que les victimes n'avaient pas su qu'on en voulait à leur vie. Cela confirma la nature mystérieuse des assassinats et, bien que ce ne fût pas l'intention du policier, contribua à accréditer l'idée que les trois meurtres étaient une seule et même affaire. En réponse à un journaliste, il nia qu'il pût s'agir de crimes gratuits : il n'en existe que dans les romans, dit-il en souriant. Cette fine allusion à un chef-d'œuvre de la littérature française de l'autre après-guerre passa inaperçue.

Le chef de la brigade, exprimant son opinion personnelle, ajouta que les meurtres n'étaient probablement pas imputables à une organisation terroriste étrangère. Au cours des dernières années, la presse s'était excitée à propos de commandos internationaux de tueurs opérant selon les uns pour le compte d'un mouvement politique arabe, selon les autres pour le compte des services secrets d'une puissance de l'Est. Le chef supposé d'un de ces commandos, un Sud-Américain, interpellé à Paris par des agents du contre-espionnage, les avait abattus à bout portant et s'était enfui : on ne l'avait trouvé nulle part, on le voyait partout, et on attribuait à ce nouveau Fantomas les crimes dont on ne découvrait pas les auteurs. Il utilisait, lui aussi, en professionnel, le Lüger 9 mm à silencieux.

— Vous possédez donc des éléments qui vous permettraient éventuellement d'affirmer qu'il s'agit d'un ou de plusieurs tueurs français ? demanda un reporteur.

Pour toute réponse, le divisionnaire fit un de ces sourires qu'on dit éloquents parce qu'ils contiennent la réponse souhaitée par l'interviouveur sans que l'orateur s'engage au-delà de ce qu'il croit nécessaire. Les journaux assaisonnèrent les propos du chef de la brigade antigang de commentaires irrités. Se fichait-il du monde ? Prenait-il cette affaire à la légère ? Sinon, pourquoi voulait-il faire croire qu'il la prenait à la légère ? Et si, dans vingt-huit jours, le 15 avril, un quatrième gynécologue se faisait assassiner ? Comme sur un mot d'ordre, mais ce n'était qu'un tic à la mode, plusieurs chroniqueurs insérèrent dans leurs articles un couplet sur les problèmes posés par l'augmentation de la criminalité. Malgré les succès de Pénibilis et de ses services, le nombre des forfaits impunis gonflait régulièrement, qu'il s'agît des vols de sacs de dames, lesquelles s'obstinaient par coquetterie à ne pas se les coincer sous le bras, ou d'assassinats. Selon les dernières statistiques, voleurs et malfrats avaient soixante chances sur cent de filer avec leur butin sans le moindre ennui ; il y avait là de quoi encourager la délinquance.

Plus grave encore : le milieu se décomposait. Il n'y régnait plus l'ordre qu'y dictaient les caïds de jadis, ces soi-disant juges de paix. Contrecoup de l'agitation gauchiste chez les étudiants, dans la classe ouvrière et même au sein de l'armée, l'esprit anarchiste soufflait sur la pègre ; il arrivait à la police d'arrêter des cambrioleurs barbus, des hippies, qui volaient n'importe quoi, des objets dont ils n'avaient pas l'usage, des chéquiers qu'ils n'utilisaient pas. Ils volaient pour le principe, ignorant délibérément la règle traditionnelle du profit maximum ! Les malfaiteurs des nouvelles générations ne respectaient plus leurs aînés ; ils ne respectaient plus rien, à dire vrai ; bref, ils n'avaient plus de moralité. Ils défouraillaient pour un oui ou pour un non. Un groupe de sociologues de l'université de Nanterre publia un ouvrage remarqué : *La criminogénéité de, et dans, la société française et européenne du dernier quart du vingtième siècle,* avec, en annexe, un sondage d'opinion d'une si grande richesse que plusieurs thèses sectorielles n'en ont pas encore épuisé les implications sociales et politiques. Selon ces savants observateurs, les jeunes délinquants ne devaient pas être considérés comme des déviants sous prétexte que leur comportement s'éloignait de la normalité. Il fallait d'abord poser la question de manière exhaustive, sans préjugé, c'est-à-dire interroger la notion même de norme. On trouvait une réponse signifiante dans l'évolution de la psyché collective depuis les années 50 – bref, depuis l'alignement des systèmes socio-politiques ouest-européens sur le modèle américain. Ce modèle se définit par la violence et la permissivité ; tel est le fondement de la nouvelle mentalité collective en France, qu'on le veuille ou non. Comment le surmoi des jeunes générations n'intégrerait-il pas ces normes-là ? Comment parler de déviance quand il s'agit d'adhésion spontanée, subconsciente à une structure en cours de réification ?

L'éditorialiste du *Monde,* qui examinait les meurtres des gynécologues à la lumière de cette thèse, se garda bien de conclure à des crimes de jeunes. Il écrivit simplement, non sans nostalgie, qu'il fallait admettre qu'on vivait dans un temps où l'idée d'assassiner quelqu'un dont on avait à se plaindre vous venait plus facilement à l'esprit qu'autrefois, que les raisons de tuer étaient maintenant infiniment moins « sérieuses » qu'auparavant. Il citait, parmi les causes probables de la dégradation de la morale de papa, l'inflation de la violence sur les écrans de cinéma et à la télé, la déshumanisation de l'habitat dans les énormes cités-dortoirs entourant les villes, la dégradation de la qualité de la vie due aux traumatismes physiques et psychiques de la société moderne, sans oublier que depuis Hiroshima et la guerre froide l'humanité savait, au moins inconsciemment, qu'un cataclysme universel, formidable épée de Damoclès, planait en permanence au-dessus d'elle. Alors, le respect de la vie humaine...

Cet article, repris par la télé et les radios, fit du bruit. Le ton, l'aisance de l'auteur donnèrent à penser à des rédacteurs en chef ; les lignes consacrées à l'assassinat de personnes dont, pour une raison peu sérieuse, on avait à se plaindre semblaient signifier qu'au *Monde* ils savaient quelque chose de plus que les confrères.

— Fouillez donc du côté du cabinet de Pénibilis, dirent-ils à leurs traîne-patins accrédités à l'Intérieur.

Ils allèrent fouiller et revinrent bredouilles. Un porte-parole du ministère haussa les épaules à propos des tuyaux du *Monde* :

— Ils font ceux qui savent, dit-il, mais ils ne savent rien. Nous non plus. Personne n'y voit clair dans cette affaire et le ministre ne décolère pas.

Ils n'étaient pas fiers, place Beauvau.

Le ministre de l'Intérieur avait pris ses fonctions huit jours après l'investiture du nouveau Président, dont il était un ami ancien et intime. Ils formaient un vieux couple et on disait que l'un n'aurait pas réussi sans l'autre. Volodia Pénibilis gardait de l'origine kirghize de ses aïeux une stature de colosse, un teint qu'on eût dit briqué par le sable que charrie le vent des steppes. (Mais était-ce bien le vent des steppes qui lui donnait ce ton briqué ?) Dans son énorme face ronde riboulaient deux yeux noirs, rétrécis, durs, contredisant la mollesse des traits et la finesse enfantine des lèvres. Avec ça homme d'esprit, se piquant de littérature, d'histoire, graticulant à ses moments de loisir, toujours disposé à se lancer dans un numéro sur Machiavel ou Talleyrand, comme si le poids lourd qu'il était tenait à démontrer qu'il travaillait dans la dentelle. S'il ne possédait pas la subtilité qu'il s'attribuait, il ne manquait pas d'adresse : on le vit quelques semaines après son entrée en fonction, lors de la réorganisation de la police. Au lieu de nommer aux postes clés des fonctionnaires connus pour avoir soutenu sans discrétion, pendant la campagne électorale, le candidat qui l'emporta, il désigna des préfets, des directeurs, des contrôleurs moins bruyants mais réputés travailleurs efficaces. Le gros des agents de son ministère apprécia : le nouveau venu ne s'en laissait pas conter. Deux jours après sa nomination, il reçut les délégués du syndicat des policiers en tenue, qui avaient attendu six mois une audience de son prédécesseur. Il affectait de s'exprimer simplement comme un homme du peuple, à la façon des paysans de jadis, au fond de l'Oural. Pour justifier le choix des grands chefs de ses services, il énonça : « Il y a les pros et il y a les autres. » De quoi les petits, les sans-grade conclurent qu'avec un homme de ce calibre chacun avait un bâton de maréchal dans sa musette. Ou encore, à propos du limogeage d'un préfet fort en gueule mais malheureux dans une affaire de prise d'otages : « Pour le travail, qui ne peut ne peut ; pour le manger et le boire, on se force. » On crut qu'il citait là un proverbe transcarpatique, alors qu'il ne s'agissait que d'un aphorisme vaudois, mais les policiers français ne pêchent pas à la ligne dans la Venoge. Il n'avait pas passé six semaines dans son fauteuil qu'une bavure se produisit : lors d'un contrôle d'autos à une sortie de Paris, un policier énervé tira sur un quidam qui protestait et le tua. Pénibilis entendit le formidable silence qui se fit aussitôt dans toute son administration : ils guettaient sa réaction, ils en feraient un test. Elle fut à la mesure de leur angoisse. Le discours qu'il prononça le dimanche suivant dans sa circonscription commença par l'énoncé des terribles dangers que couraient les forces de l'ordre dans leur combat contre la criminalité. Le mot d'héroïsme n'était pas trop fort. S'ensuivit l'éloge de la profession policière, une vocation à la limite du sacerdoce. Ne s'agissait-il pas de protéger non seulement les corps et les biens mais aussi, mais d'abord les âmes ? Il déplora que l'État ne fût pas en mesure d'assurer à ses serviteurs une situation matérielle en rapport avec leur dévouement. Il s'étonna des attaques dont ils faisaient l'objet à l'occasion d'incidents malheureux certes, mais inévitables et que seuls la mauvaise foi et un parti pris systématiques montent en épingle, dans un but qu'il n'est pas malaisé de deviner. Son discours fait, il procéda à la remise de la médaille de la police à un vieux gardien de la paix de sa circonscription qui, quelques jours auparavant, avait failli se faire renverser par une auto en aidant une petite fille à traverser la chaussée.

Son discours eut un grand succès dans la police, qui se sentit enfin comprise et aimée. Pénibilis félicita l'attaché de cabinet qui lui écrivait ses allocutions. Ce dernier avait mis au point deux textes types, l'un pour le cas où un policier tuait, l'autre pour le cas, moins fréquent heureusement, où un policier était tué. Le premier topo consistait à faire l'éloge de la police en général, le second l'éloge particulier de la victime. L'un et l'autre étaient invariablement suivis d'une remise de décorations à des flics méritants. Pénibilis avait résumé sa position dans un proverbe que ses collaborateurs se répétaient admirativement :

– Une bavure ? Je suis leur chef, donc je l'essuie.

Parmi les fonctionnaires à bénéficier de sa méthode de recrutement figurait le commissaire divisionnaire chef de la brigade antigang. Lors de sa nomination, ce dernier avait manifesté de la satisfaction, ce qui va de soi, mais aussi de l'étonnement, allant jusqu'à confier à une radio qu'il faisait l'objet d'une promotion plus que flatteuse. Le « plus que » laissa le spiqueur pantois.

– Voulez-vous dire, commissaire, que votre nomination est due à des considérations extra-professionnelles ?

– Oh ! qu'est-ce que vous allez chercher là ! rétorqua le policier interloqué.

Cependant, ses états de service, sans être médiocres, ne justifiaient qu'à moitié son avancement. Les collègues de son grade et de son âge ne se gênèrent pas pour confier, dans les dîners en ville, que, techniquement parlant, sa nomination ne se justifiait pas tellement. D'autre part, ils voulurent bien admettre qu'il ne s'occupait pas de politique. Ces racontars firent le tour des salles de rédaction ; ils revinrent à la mémoire de certains journalistes à l'occasion des propos, jugés par eux à la limite de la légèreté, sinon de l'irresponsabilité, du divisionnaire dans sa conférence de presse. Pourquoi Pénibilis avait-il donc placé ce zozo à un poste trop au-dessus de ses forces ? Ne prêtait-on pas au ministre, en matière de connaissance des hommes, des capacités qu'il n'avait pas ?

Le 15 avril, le Président donna une nouvelle cau-serie au coin du feu. Il en consacra la plus grande partie à l'Éducation nationale. A la rentrée précédente, octobre 76, on avait mis en œuvre une réforme de l'enseignement qui suscitait beaucoup de critiques. Les éternels mécontents, le plus vieux parti de France, et pas le moindre, déploraient qu'il y en eût une par an depuis 1958, année du retour du Général aux affaires. Les parents d'élèves et pas mal de pédagogues blâ-maient la réintroduction du latin dans le tronc commun des petites classes des lycées. Du rétro, disaient-ils.

Loubard de Mirobol défendit la réforme sans hausser le ton, mais avec fermeté. Pour illustrer son discours, et aussi parce qu'il était persuadé que son exemple toucherait ses auditeurs, il s'était entouré de ses quatre enfants qui, tous, faisaient du latin. Le public les connaissait bien grâce à un truc mnémotechnique original : leur père leur avait donné des noms d'oiseaux. La presse populaire et les magazines ne se lassaient pas de publier leurs photos. Cependant, l'impact de l'allo-cution présidentielle fut un peu diminué du fait que le 16 avril au matin on découvrit à Marseille, recro-quevillé dans sa voiture, le cadavre d'un gynécologue-accoucheur. L'autopsie révéla qu'il avait été tué la veille au soir, le 15, d'une balle dans la nuque. Ce ne fut qu'un cri : il a été assassiné comme les trois autres, au Lüger 9 mm à silencieux ! Le rapport du médecin légiste arriva sur le bureau du préfet des Bouches-du-Rhône avant midi. Il en téléphona la teneur lui-même à Pénibilis, qui, pour la forme, et parce qu'il était naturellement courtois, demanda conseil à son subordonné :

– A votre avis, mon cher préfet, dois-je rendre tout cela public ou ne serait-il pas préférable, pour rassurer l'opinion, de taire certains détails ? Pourrait-on dire, par exemple, que la balle retrouvée dans la tête du défunt n'a pas été tirée par un Lüger ?

– Hélas ! c'est impossible, monsieur le Ministre. Le médecin légiste ou un de ses assistants parlera, soyez-en assuré, et alors...

Pénibilis poussa un soupir, recommanda au préfet de tout mettre en œuvre pour retrouver les assassins, reposa le téléphone et convoqua ses collaborateurs.

Dix minutes après, tous les grands chefs de la P.J., des R.G., de la D.S.T., du bureau de liaison S.D.E.C.E.-D.S.T. étaient réunis dans son cabinet.

– Messieurs, leur dit-il, vous êtes au courant, nous avons un gynécologue de plus sur les bras.

Son sang-froid fit impression sur ses interlocuteurs, mais, vieux routiers de l'enquête et de la confrontation policières, ils sentirent à quel point il était inquiet. Après tout, si la série continuait, sa carrière politique serait mise en cause, et s'il se fichait de la mort de trois ou quatre gynécos, il n'était pas homme à laisser compromettre son ambition. Sa famille, depuis qu'elle avait débarqué en France dans les bagages du grand Ataman de Kirghizie, féal de Napoléon, avait à chaque génération fourni un homme d'État et il se devait à lui-même de maintenir la tradition, d'autant plus qu'il s'en sentait la capacité. Ce serait trop bête si...

– Messieurs, vous devinez ce que je ressens. Cette affaire, me touche au plus profond. Il s'agit beaucoup plus que de la sauvegarde des personnes, qui est le devoir de la police et donc de son ministre... Faites le maximum.

– Quelques arrestations dans les milieux marginaux, suggéra le directeur des Renseignements généraux...

– Facile à dire, répliqua, sur un ton pincé, son collègue de la P.J., mais dans un mois il faudra les relâcher, faute de preuves, et ce n'est pas vous, mon cher préfet, qui porterez le chapeau.

– Sans doute, mon cher préfet, mais il s'agit de rassurer l'opinion. Dans un mois ou deux, elle pensera à autre chose.

– Sauf si le 13 mai un autre médecin est abattu. Si vos R.G. pouvaient nous informer, à l'avance, n'est-ce pas...

Pénibilis se leva, ce qui fit taire les deux préfets, par ailleurs les meilleurs amis du monde, mais qui tenaient à ce qu'il fût dit, dans leurs services respectifs, que le chef des R.G. avait rivé son clou au chef de la P.J., ou que celui-ci avait remis à sa place son collègue des R.G.

Le ministre s'adressa au chef de la brigade anti-gang venu en compagnie de son patron, le directeur de la Police judiciaire :

– Poilut, où en êtes-vous, à la fin des fins ?

– Comme je l'ai indiqué dans mon dernier rapport, monsieur le Ministre, nous n'avons rien, aucun indice sérieux. Il s'agit bien de commandos de deux hommes, un guetteur et un tueur. Des professionnels parfaitement entraînés.

– Et vos indics dans le milieu ?

– Muets, monsieur le Ministre. Les assassins ne viennent pas du milieu. En tout cas, pas du milieu actuel.

– Qu'est-ce à dire ?

– Ils en ont peut-être fait partie autrefois, je ne sais pas.

– Écoutez-moi bien, Poilut, il nous faut des résultats le plus vite possible. J'ai annoncé à la télé que je prenais moi-même l'enquête en main. Je vais finir par avoir bonne mine, non ?

– A vos ordres, monsieur le Ministre.

La presse et les infodemasses du lendemain accordèrent naturellement la plus large place au nouvel assassinat. Selon leur habitude, les salles de rédaction ne se privèrent pas de plaisanter : si ça continuait, on ne trouverait bientôt plus d'accoucheurs pour mettre les enfants au monde.

– Moi, dit un traîne-patins des Informations générales du *Parisien libéré,* qui était dans les petits papiers du commissaire Poilut, moi, je suis d'avis qu'on a affaire à une bande de basanés sexuels. Ils tuent tous les vingt-huit jours à chaque retour des règles de leurs houris. Et ils tuent un médecin de femmes.

– Gardez ça pour vous, lui dit son chef de service, vous n'allez quand même pas affoler les concierges qui nous lisent ?

Il fallut cependant passer à l'antenne, à l'écran ou pondre les éditoriaux, c'est-à-dire cesser de jeter le quolibet, denrée extrêmement peu goûtée du public, pour s'enfoncer dans la bonne et franche indignation, dans le sentiment bien senti, tout en désignant en filigrane un responsable aisément reconnaissable. Que les sociologues dénoncent la société en général, la permissivité et la démission des parents, c'est bon pour les intellectuels et assimilés qui lisent *le Monde* ou les hebdos pour cadres et cadresses, mais pour le peuple, faisons simple. On termina donc les topos en s'interrogeant sur l'efficacité de la police. Europe n° 1 annonça pour le lendemain matin, à son micro, Pénibilis en personne. Radio-Luxembourg, pris de vitesse, se rabattit sur le garde des Sceaux et Radio-Monte-Carlo, faute de mieux, enregistra un interminable blabla d'un ancien ministre de l'Intérieur qui se montra assez désagréable pour Pénibilis :

— De mon temps, dit-il pour conclure, un médecin était sacré. Et surtout un médecin qui donne la vie.

Tout le monde attendait le 13 mai avec angoisse, et d'abord les gynécologues-accoucheurs dont un certain nombre, et c'est humain, annulèrent leurs consultations de ce jour-là et quittèrent même leur ville. Cela n'empêcha nullement le ou les tueurs de commettre le crime attendu et, ainsi que plusieurs personnes de réflexion l'avaient conjecturé, la victime fut un gynécologue de Lyon. Les prochains, se dit-on, ce sera à Rouen, puis à Lille. Après quoi on passera aux villes de moindre importance. Nous sommes en présence d'un plan simple, logique et implacable. D'un complot.

Ce mot de complot ne passa pas comme une lettre à la poste. Tout d'abord il y avait dans cette notion, appliquée à la mort de cinq gynécologues, quelque chose de disproportionné. Ensuite le gouvernement, par la bouche de Pénibilis, s'efforça, non sans succès, de rassurer l'opinion. Il ne nia pas qu'il y avait, dans cette série de meurtres, quelque chose d'inexplicable pour le moment, mais de là à parler d'une sorte de conspiration visant les gynécologues ! D'autre part il était faux de dire que l'enquête de la police n'avait pas progressé. On avait par exemple localisé l'origine des armes : elles provenaient d'un lot de pistolets récupérés sur la Wehrmacht lors des combats de la Libération en 1945.

– Cela nous fait une belle jambe ! s'exclama-t-on ; il serait plus intéressant, et plus efficace, de savoir entre les mains de qui ces armes sont tombées.

Or la police avait sinon une réponse du moins des hypothèses à propos de la destination de ces pistolets. Ils avaient été stockés, comme les autres armes prises aux Allemands, dans une caserne et ils y avaient été volés. Leur disparition remontait à la fin du premier semestre de 1968, ainsi qu'en faisait foi un rapport confidentiel de l'autorité militaire de l'époque. Trente parabellums manquaient : ce chiffre, à lui seul – même dans le cas improbable où ils se trouveraient aux mains d'un groupe de fanatiques – limitait l'ampleur que l'affaire pourrait prendre.

Un vol d'armes à la fin du premier semestre 1968, voilà qui ranima l'imagination : les voleurs ne pouvaient qu'être un de ces groupuscules gauchistes qui, après avoir fomenté la révolte des étudiants et la grève générale du prolétariat, avaient tenté, en vain heureusement, de déclencher la révolution. Les grandes voix de la presse et de l'audio-visuel tonnèrent : qu'attendait-on pour multiplier les contrôles, les perquisitions ? Dix-sept députés de province et quinze députés de Paris posèrent des questions écrites au Premier ministre et au ministre de l'Intérieur. L'ancien chef de gouvernement, Ludovic Hapié, déclara que ces meurtres faisaient partie, à son avis, d'une stratégie de la tension, dont il définit l'idée maîtresse : faire en sorte que l'opinion soit prête à tout afin que de l'énervement général jaillissent les étincelles préludant à l'incendie. Son jugement, qui faisait autorité, fut répété et il eut droit à une intervouve d'une heure sur la première chaîne de télé. Les chefs de l'opposition protestèrent, alléguant que l'ancien Premier ministre accusait sans preuves, comme d'habitude, et en profitèrent pour demander une fois de plus le droit de réponse. Le président de la première chaîne refusa en faisant remarquer non sans finesse qu'ils n'avaient pas à répondre puisqu'ils n'avaient pas été nommément désignés. Ou alors se sentaient-ils de près ou de loin visés par les propos de M. Hapié ? Une polémique s'ensuivit qui dura une semaine. On ne manqua pas de remarquer qu'en cette occasion le quotidien communiste, *l'Humanité,* cria plus fort que les autres, comme si le Parti avait été mis en cause par Hapié. Ce n'était pas le cas. On en déduisit que le Parti avait modifié son attitude vis-à-vis des groupuscules qu'il avait jusque-là toujours condamnés sans nuances. Après lui avoir prêté cette évolution, on rapprocha cette attitude nouvelle des positions que le Parti italien avait récemment prises à l'égard de Lotta Continua, ainsi que des manœuvres du Parti espagnol après la mort de Franco. On était, semble-t-il, en présence d'un véritable tournant des partis communistes occidentaux, et les kremlinologues s'en mêlèrent. Boutonlovsky, le plus fameux d'entre eux, qui écrivait à la chaîne dans *le Figaro, Die Welt,* le *Guardian,* le *New York Herald Tribune,* le *Messaggero* et *l'Écho de La Bourboule,* expliqua qu'en fait la décision avait été prise six mois plus tôt au B.P. du P.C.U.S., non sans que le secrétaire général eût failli à cette occasion être mis en minorité par le clan des durs emmenés par le patron du K.G.B. Mais, ainsi qu'on l'avait su, celui-ci, battu, avait été limogé et travaillait maintenant comme cadre supérieur dans une fabrique de chocolats à Nijni-Novgorod. Cette dernière information fit l'objet d'un démenti, quinze jours après, de l'ambassade soviétique à Paris. La presse parisienne nota avec satisfaction que c'était en France que les autorités soviétiques avaient rendu publique leur mise au point, alors que l'information controversée avait été diffusée dans le monde entier. Cette préférence augurait bien du prochain voyage à Moscou de notre Président.

CHAPITRE II

Le gynécologue abattu à Rouen le 10 juin, soit 28 jours après son confrère de Lyon, reçut au milieu du cervelet une balle de Lüger 9 mm à silencieux. Le commando paya d'audace : le meurtre eut lieu à 20 h 30, bien avant le crépuscule, alors que le médecin allait prendre sa voiture parquée le long du trottoir en face de sa clinique. La chute du corps sur la chaussée, entre deux autos, attira des badauds. L'un d'eux, qui remontait le trottoir, vit distinctement la scène. Il la raconta au brigadier qui commandait l'équipe de police-secours arrivée sur les lieux dix minutes après :

– Je rentrais chez moi, la demie venait de sonner à la cathédrale. Je ne regardais pas précisément ce qui se passait sur le trottoir devant moi et il n'y avait du reste pas beaucoup de piétons, pas plus qu'il ne circulait beaucoup de voitures. A cette heure du soir la plupart des Rouennais sont en train de dîner ou de regarder la télé. Soudain j'entends comme une détonation étouffée, un bruit semblable à celui d'un bouchon de champagne qu'on décolle précautionneusement à la main, pour l'empêcher de sauter. Je lève les yeux dans la direction du bruit et j'aperçois un monsieur bien habillé, genre chic, tomber comme une masse du trottoir sur la chaussée entre deux voitures. En tombant il démasque un individu d'environ un mètre quatre-vingts, à deux pas derrière lui. Cet individu portait un chapeau mou de couleur grise, au bord rabattu sur le front. Il était vêtu d'un imperméable mastic, coupe officier, avec des épaulettes. Il portait aussi des lunettes de soleil, très larges, en métal doré, comme en ont les aviateurs. Je l'ai vu glisser un objet noir, le pistolet probablement, sous le pan gauche de son imper. Il fit alors demi-tour sans précipitation, et tourna dans la première rue à gauche, qui donne sur la place de la cathédrale. Mais je ne réalisai ce qui s'était passé que quelques minutes après, quand je fis la liaison entre la victime couchée entre les deux voitures et l'individu. Je courus dans la petite rue et ne vis plus rien. Je suppose qu'une voiture l'attendait. Je n'ai pas aperçu cette voiture et n'ai pas vu de complice.

Les autres badauds, interrogés par l'équipe de police-secours, furent incapables de donner autant de détails ; ils n'avaient rien vu, sinon le cadavre du gynécologue. Trois heures après la déposition du précieux témoin arriva sur le bureau du commissaire Poilut, chef de la brigade antigang, qui ordonna par téléphone à ses collègues de Rouen de convoquer ce citoyen pour le lendemain midi, dans les locaux du commissariat central. Poilut annonça qu'il viendrait lui-même à Rouen pour l'entendre et l'interroger.

Ce fut un véritable cortège qui quitta le quai des Orfèvres le lendemain, sur le coup de neuf heures du matin : une douzaine de voitures de presse, trois cars de la télé française, cinq télés étrangères et dix-sept motos équipées en haute fréquence emboîtèrent le pas à la D.S. noire des policiers. Ce déplacement, qui avait tout l'air organisé, officiel, impressionna beaucoup le chef du péage autoroutier de Mantes, qui, croyant avoir affaire à une course cycliste ou à une tournée ministérielle, mit son signal au vert et laissa passer tout le monde à l'œil.

Mais la caravane s'arrêta sur les bas-côtés une douzaine de kilomètres plus loin : on venait d'apprendre par un flash spécial des radios périphériques que le commissaire divisionnaire Poilut, chef de l'antigang, avait aussi raté son premier témoin ; plus exactement ce dernier, en sortant de chez lui, rue de l'Abbé-Clément-Duval, à Rouen, avait été renversé par une auto et tué sur le coup. L'automobiliste meurtrier ne s'était pas arrêté et personne n'avait eu le temps ou l'idée de relever son numéro.

Debout sur le bord du bitume, Poilut et ses inspecteurs conféraient sous le crépitement des appareils photo et le ronron des caméras de télévision. La mine abattue du chef de la fameuse brigade faisait peine à voir. Il jouait de malheur et, rengainant les quolibets dont ils l'accablaient volontiers, les journalistes compatissaient. Il y avait dans cette histoire de gynécos abattus à date fixe quelque chose de sinistre, un plan, une stratégie, mais ce qui inquiétait encore davantage c'était l'incroyable audace des tueurs supprimant dès le lendemain le malheureux témoin rouennais. Décidément ces gens-là étaient prêts à tout, ne reculaient devant rien. Mais que voulaient-ils, à la fin des fins ? Et qui étaient-ils ? Voilà six mois que l'opération – car c'en était une, on ne pouvait plus en douter – avait débuté, et personne, individu ou organisation, n'avait revendiqué la responsabilité des meurtres. La presse et les info-demasses avaient cependant fait de leur mieux pour provoquer une réaction de la part des tueurs. Le communiqué de Pénibilis révélant le vol des trente parabellums à la fin du premier semestre 1968 avait été calculé, on s'en souvient, pour semer dans les esprits l'idée qu'on avait peut-être affaire à un groupuscule gauchiste. Sans hésiter, plusieurs commentateurs se mirent à passer en revue les deux douzaines de quarterons de révolutionnaires en jeans et colroulés qui se battaient les flancs pour faire parler d'eux et répandre, à cette occasion, le sel de leurs doctrines. Tablant sur leur propension bien naturelle à magnifier leurs effectifs, leurs moyens et leurs ruses, Pénibilis comptait que l'un ou l'autre des militants du groupe intéressé ne résisterait pas à la joie de téléphoner, ou d'écrire anonymement, aux journaux ou aux radios. « Nous aurons alors, mes chers amis, avait-il confié à ses commensaux de plume et de micro, un fil directeur qui, si mince soit-il, nous conduira bien quelque part. » Finesse inutile : les groupuscules les plus connus protestèrent, crièrent à la provocation ; quelques vitrines de banques sautèrent ; mais personne ne revendiqua les meurtres. Il n'y avait plus qu'à attendre le 8 juillet. Il se trouva des gens pour parier que cette fois les tueurs frapperaient à Metz, d'autres misèrent sur Toulouse. *Le Figaro* dénonça ce macabre P.M.U. dans un éditorial d'une rare élévation de pensée, signé de son directeur, dont le titre : *NON !* fit, par sa vigueur, sursauter pas mal de ses lecteurs. Quant à la feuille anarchiste *Charlie-Hebdo,* elle lança un concours : 1er prix, un abonnement à *Hara-Kiri* au lecteur qui donnerait la ville, la rue et l'heure à une minute près de l'attentat du 8 juillet.

Mais, avant d'en arriver là, il nous faut parler de la soirée du 24 juin. Tout le pays attendait le Face-à-Face, sur les deux grandes chaînes télé, de Clapouard, Premier ministre, et Pécus, secrétaire général du P.C.F.

A gauche Just Clapouard, tout en longueur : la taille, le nez, les dents. Un profil de descendeur de grande piste qu'il corrigeait parfois en s'affublant de grosses lunettes d'écaille comme en portent les étudiants en pharmacie. Elles adoucissaient les traits et les plans trop angulaires de son visage et rappelaient à ceux qui l'avaient oublié que bien souvent les myopes foncent parce qu'ils ne voient pas clair ; c'était un fait dont les habitués des conférences de Matignon et des congrès étaient familiers : il y avait deux styles Clapouard. Quand il parlait de mémoire, sans lunettes, il se laissait aller à sa fougue naturelle, attaquait, agressait, moulinait des bras, tapait sur le pupitre, gueulait, engueulait. Les lunettes sur le nez, il mesurait ses effets, faisait des citations, se référait à la doctrine, jouait de la litote. Lors des dernières assises de l'I.D.R.E., à Nice, on avait assisté à un incident des plus singuliers. Clapouard, en lunettes, planchait depuis une heure. Une prestation en tout point tremarquable, un véritable discours d'homme d'État, au dire des journalistes accrédités. Soudain, Clapouard ôte ses lunettes d'un geste vif, écarte les feuillets posés devant lui, prend sa respiration, redresse le buste. Aussitôt cinquante lampes de flash électronique lui crachent aux yeux, l'aveuglent. Pour se protéger un peu, il remet ses lunettes, tourne la tête. Les photographes insistent pendant une longue minute, cependant que les applaudissements, partis des premiers rangs, gagnent l'ensemble du congrès. Les dignitaires se lèvent et, se tournant vers l'orateur, l'acclament. Le secrétaire général vient à lui, l'embrasse et, lui prenant la main droite, l'élève et la montre au public. Clapouard, perdu, se laisse faire, descend de la boîte à sel et regagne sa place à la tribune.

– Mais je n'avais pas terminé, confie-t-il à son voisin.

– Pour nous, si, répond l'autre.

Il avait passé plusieurs heures de l'après-midi de ce vendredi à mettre au point, avec des universitaires de la VIe section des Hautes Études, tous anciens staliniens, de vicieuses questions théoriques calculées pour coincer Pécus. On imagine l'impact de la manœuvre : le secrétaire général communiste ridiculisé sur le léninisme par le Premier ministre. Mais à la fin de la séance les professeurs conseillèrent à Clapouard de ne pas aborder ce genre de sujets ; il n'y avait rien compris. Clapouard est-il si bête ? demanda-t-on à un de ces messieurs qui racontait l'anecdote.

– Pas du tout, il est au contraire intelligent, mais à la manière de ces joueurs d'échecs dont Gœthe disait que les échecs les rendent plus intelligents pour jouer aux échecs. Clapouard est intelligent en politique. Pour le reste, il ne comprend rien.

On dit souvent d'un homme qui a réussi dans la société en partant de très bas qu'il a beaucoup de mérite parce qu'il sort du peuple. Pécus, lui, avait réussi sans jamais en sortir. Il venait du peuple, il voulait faire peuple, et ne faisait que cela. Deux yeux d'un bleu vif écarquillés, ornés de cils mobiles, surmontés de gros sourcils prompts à se froncer, des traits vulgaires, le tout animé d'un éternel soupçon, infatigablement prêt à aboyer, à mordre, chien de garde protégeant la classe ouvrière, chien de chasse aux trousses du capitalisme monopoleur d'État ; au demeurant bon époux et bon père, d'une moralité sans défaut.

Il attaqua d'emblée et, oubliant l'objet du Face-à-'

Face, déclara qu'il avait honte, en sa qualité de Français, de vivre dans un pays où tous les vingt-huit jours, à date fixe, des tueurs abattaient impunément d'honorables travailleurs intellectuels connus pour leur dévouement au peuple de France.

– Votre police, que fait-elle, monsieur le Premier ministre ? jeta-t-il en agitant l'index en direction de Clapouard. Je vais vous le dire, moi, ce qu'elle fait. Au lieu de poursuivre les criminels, elle traque les militants ouvriers, les syndicalistes, les démocrates. Attendez, je n'ai pas fini, ne m'interrompez pas tout le temps, c'est trop facile. Je disais donc que vous dévoyez la police et que pendant ce temps-là les honnêtes gens se font assassiner. Le gouvernement est le complice des assassins, voilà ce que je dis, moi.

Clapouard porta la main à ses lunettes, les ôta, se ravisa, les rajusta et regarda fixement Pécus.

– Vous parlez en irresponsable, dit-il d'un ton froid, sans aucune colère apparente, et vous dites n'importe quoi. A qui ferez-vous croire que les fonctionnaires de la Police judiciaire, dont on vient d'augmenter les effectifs et les moyens matériels, sont utilisés contre les syndicalistes et les militants des partis politiques ? Monsieur Pécus, au lieu de nous calomnier, vous feriez mieux de répondre positivement à l'invitation que le président de la République a faite à tous les partis d'étudier ensemble, majorité et opposition, les moyens d'enrayer la criminalité. Tous les Français, quelles que soient leurs opinions politiques, sont concernés, mais ça, ça ne vous intéresse pas, monsieur Pécus. Malheureusement, votre sectarisme fait l'affaire des criminels. Je le déplore, croyez-moi, et les Français avec moi, j'en suis certain.

Au bout d'une heure et cinq minutes d'aller et retour, les deux protagonistes avaient toujours bon pied bon œil. Cependant Pécus menait aux points et il s'en rendait compte. Au fur et à mesure que la fin de l'émission, qui durait une heure et dix minutes, approchait, il accélérait le débit, harcelait son adversaire ; lors de l'avant-dernière réplique de celui-ci, on vit Pécus se tasser, esquisser un balancement du buste, plisser le front : il s'apprêtait à porter le coup d'estoc, une parade terrible, l'uppercut, le mot de la fin que *l'Huma* reprendrait en gros titre le lendemain. Clapouard, lui, sans perdre pied et les lunettes toujours bien sagement assises sur son long nez pointu, s'exprimait posément, sans passion. Manifestement, il n'était pas au mieux de sa forme et donnait l'impression qu'il aurait préféré être ailleurs. (A la vérité, les impératifs de la politique mondialiste du gouvernement l'empêchaient de parler du sort des médecins et autres intellectuels en U.R.S.S. Il voulait, au retour de son prochain voyage à Moscou, annoncer un nouveau fabuleux contrat : deux Airbus, dix-sept Citroën à moteur à injection, cinq cent douze layettes, une tonne de mouchoirs de Cholet et une bonne douzaine de peaux de chèvre de Corrèze.) Ah ! si seulement il ôtait ses lunettes, disaient ses admirateurs, il foncerait et il n'en ferait qu'une bouchée, de Pécus. Vraiment, ceux qui avaient conseillé à Clapouard de jouer au débatteur flegmatique, allusion fort claire à quelque directive élyséenne, avaient été mal inspirés.

A l'instant même où Pécus - « Vas-y, Pécus, finis-le ! » lancèrent à pleine voix les invités du secrétaire général présents dans le studio - où Pécus allait déclencher sa dernière réplique, une minute, pas une seconde de plus, le téléphone placé devant le meneur de jeu grésilla. Le journaliste prit l'écouteur. On le vit se troubler, demander à voix basse qu'on lui répète ce qu'on venait de lui dire et qu'il tenait à l'évidence pour incroyable.

– Monsieur le Premier ministre, monsieur le Secrétaire général, mesdames et messieurs, chers téléspectateurs, excusez-moi si j'interromps notre Face-à-Face maintenant, mais j'ai le devoir de vous communiquer l'information suivante : un gynécologue de Reims, le docteur Talbet, vient d'être abattu il y a quinze minutes en sortant de sa clinique. D'une balle de 9 mm...

– Ah ! s'écria Pécus en lançant un regard sauvage à Clapouard. Alors, monsieur le Premier ministre ?

Et, attendant avec une impatience fébrile une réponse qu'il savait impossible, il hocha la tête, serra les mâchoires, symbole et incarnation vivante de la colère du peuple.

– C'est abominable, abominable, répondit Clapouard complètement désemparé.

Il ressemblait à un jeune homme qui vient de prendre un savon terrible mais mérité. On crut qu'il allait pleurer.

– Vous avouez ! lui jeta Pécus, féroce.

– Monsieur Pécus, je vous en prie, dit le Premier ministre d'une voix mal assurée, je vous en prie.

Il faisait peine à voir.

Ils se retrouvèrent tous au bar du dernier étage de la télé, où le directeur général de la Maison offrait le champagne. Bien entendu, l'ambiance ne ressemblait guère à ce qu'elle eût été dans des circonstances normales ; l'annonce de l'assassinat du médecin rémois

35

avait terriblement perturbé les esprits. On calcula vite que le 24 juin tombait quatorze jours après le 10 : de là à conjecturer que les tueurs allaient désormais frapper non plus une fois tous les mois lunaires mais deux fois, il n'y avait qu'un pas qu'on franchit vite fait. Et puis, dans six mois, dans un an, ils tueraient chaque semaine. Où s'arrêteraient-ils ? Quand les arrêterait-on ? Pécus lui-même, sorti du champ des caméras, s'était humanisé.

— Mais enfin, Clapouard, il n'est pas possible de laisser ça se développer ainsi. Vous ne nous ferez pas croire que la police ne sait rien.

— C'est affreux, mon cher Pécus, répondit le Premier ministre, mais nous avons l'impression que la police est paralysée. Depuis que je suis au gouvernement, je n'ai jamais vu ça, jamais.

— Et Pénibilis, qu'en dit-il ?

Clapouard ne répondit pas sur-le-champ. Il vida la moitié de sa coupe de champagne, regarda Pécus au fond des yeux et haussa les épaules.

— Que voulez-vous qu'il dise ?

— Eh bien ! vous êtes dans de beaux draps, dit Pécus, l'air sincèrement désolé.

— C'est vrai. Comme vous le voyez, ça n'est pas toujours drôle de gouverner, mon cher ami.

Ayant dit, Clapouard ôta ses lunettes, les glissa dans la poche supérieure de son veston et alla prendre par le bras la jeune et jolie rédactrice en chef du magazine *Boogie-Woogie*.

— Dans une heure chez toi, j'apporte un kilo de caviar, lui dit-il.

— Que t'a-t-il raconté ? demandèrent ses confrères et consœurs à la jolie journaliste.

Elle haussa les épaules.

– Toujours la même chose. Vous savez comme il est. Il m'a demandé si la photo qu'on publiera de lui la semaine prochaine sera aussi mauvaise que celle qu'on a sortie cette semaine. C'est un grand gosse.

Nous n'allons pas énumérer plus longtemps les meurtres de gynécologues : à quelques unités près, car plusieurs des assassinats homologués ont peut-être eu une origine fort différente, le 31 janvier 78 on comptait trois douzaines de cadavres. Mais la fin de 77 fut aussi marquée par d'étonnantes histoires de femmes disparues sans laisser d'adresse. Périodiquement la presse à sensation enfourche son dada de la traite des Blanches : des organisations secrètes de souteneurs internationaux kidnapperaient des jeunes et jolies filles pour les expédier dans des harems moyen-orientaux ou dans des bordels sud-américains et asiatiques, où la chair blanche est particulièrement appréciée. Un détail cependant ne pouvait guère s'insérer dans ce schéma : les jeunes femmes dont on signala la disparition, à partir de novembre 77, venaient de se faire avorter.

Pour autant qu'on le sache, la première fille qui s'évanouit sans laisser d'adresse fut une caissière d'un supermarché de Montélimar. Pour elle on a une certitude : cette jeune personne avait raconté à ses copines qu'elle avait stupidement oublié d'emporter ses pilules, lors d'un ouiquende passé à Saint-Trop avec un ami, qu'elle avait cru qu'il ne se passerait rien et, malheur, elle était tombée enceinte. Elle allait donc se faire aspirer demain jeudi, en fin d'après-midi. Le vendredi matin on ne la vit pas à sa caisse. A l'heure du déjeuner une de ses amies fit un saut à son studio, en haut de la rue Marcel-Pic, ancien ministre. On téléphona à la clinique, qui répondit qu'elle avait quitté l'établissement deux heures après le Karman, en parfait état de santé. On avertit la police, qui ne trouva rien. Tous ces détails, sur le moment, ne frappèrent guère les gens qui en furent avertis, c'est-à-dire le petit monde qui la connaissait. On crut à une fugue. On la savait inflammable ; on imagina qu'elle avait rejoint un nouvel amant et qu'ils s'étaient esbignés sans prévenir personne. En fait on ne revint à son cas qu'après la disparition, dans des conditions à peu près analogues, d'une cinquantaine de donzelles qui venaient, elles aussi, de se faire aspirer.

Quant au lien qu'on finit par établir entre ces disparitions et les assassinats de gynécologues, il ne sauta pas tout de suite aux yeux, c'est le moins qu'on puisse dire. On a beau fouiller les archives de la police, on ne trouve pas de fait matériel permettant de dire : ceux qui tuent sont aussi ceux qui font disparaître, ou appartiennent à la même organisation. Ce qu'on peut affirmer, c'est qu'à partir du début de mars 1978 on assista, dans la presse, à l'établissement d'une relation entre ces deux séries d'événements. Ce ne fut d'abord qu'une hypothèse, mais au fil des jours, et sans qu'aucune preuve en vienne étayer la construction, elle se transforma graduellement en certitude, tant et si bien qu'un mois après les journaux parlaient, comme si c'était une organisation officiellement reconnue, homologuée au *Journal officiel,* de la B.T.K., la Bande des Tueurs-Kidnappeurs. Si on avait demandé à un rédacteur en chef sur quoi il se fondait pour identifier ceux-ci ou ceux-là, il eût été bien en peine de le dire, mais il eût été surtout stupéfait de la question : qu'ils fussent de la même bande ne faisait plus de doute pour personne.

En fait, la presse se laissa, une fois de plus, manipuler, victime, comme d'habitude, de son instinct grégaire. Qu'un journal réputé sérieux, bien tuyauté ou qui a tout simplement la cote dans le public lance une information, aussitôt ses confrères, qui à aucun prix ne voudraient paraître moins dans le vent, la reprennent à leur compte sans citer leurs sources et voilà le bobard nanti de tout ce qu'il lui faut de vitamines et de ravitaillement pour tenir sous toutes les bourrasques ; à plus forte raison si ceux qui ont fait le nécessaire pour le mettre au monde, et qui pourraient d'un mot, au début, le rejeter au néant, encouragent par leur silence ou par la mollesse de leurs démentis les jobards à jobardiser. Après le premier papier dans lequel *l'Aurore* supposait que les kidnappeurs pourraient bien avoir des relations étroites avec les tueurs, les journalistes interrogèrent Péni, comme ils appelaient entre eux le locataire de la place Beauvau :

– Que pensez-vous de cette hypothèse ?

Il leur répondit qu'il n'avait rien à dire à ce sujet. Plumes et micros conclurent que le ministre, en fait, confirmait implicitement le papier de *l'Aurore* dont un des directeurs, ce n'était pas un secret, copinait avec lui.

Au demeurant, l'orage était passé, pour Péni comme pour l'antigang ; l'événement avait pris de telles proportions, dépassait de si haut le cours ordinaire des choses humaines qu'il ne venait plus à l'esprit de personne d'incriminer la police et ses chefs ; ils n'étaient que des gens comme nous, après tout. Que ferions-nous à leur place ? Les adjectifs « machiavélique », « démoniaque », « infernal » foisonnaient sur les antennes et dans les feuilles. Les radiesthésistes, les faiseurs d'horoscopes et même la voyante attitrée du président de l'Assemblée nationale, si fameuse pourtant, avaient renoncé à opérer sur ce terrain et s'étaient excusés en des termes sibyllins bien propres à vous donner des frissons dans le dos. Quant aux publications spécialisées dans les ésotérismes à bon marché, elles parlaient de Martiens, d'interventions supra-terrestres. Les chroniqueurs scientifiques des infodemasses doublèrent leurs piges : les lecteurs, les auditeurs et les téléspectateurs voulaient surtout savoir s'il existait des phénomènes célestes du genre comète, taches solaires, etc., de nature à provoquer, directement ou indirectement, par exemple en perturbant les ondes telluriques, les tragiques événements.

Sociologues, psychanalystes, criminologistes, philosophes s'en donnèrent à cœur joie, fournissant toutes sortes d'analyses du phénomène, avec la sûreté de ton, l'autorité tranquille des hommes de science. L'un d'eux, qui avait remis à l'endroit le freudisme que des Américains avaient tourné la tête en bas, et qu'on venait entendre de loin au Collège de France, profita de l'occasion pour redire en termes encore plus définitifs que la femme, une fois pour toutes en deuil d'une quéquette, n'existait pas en dehors des efforts qu'elle faisait pour se donner l'illusion d'exister, qu'en conséquence qu'il y en eût qui disparussent ou qui réapparussent n'avait aucune espèce d'importance ; ce de quoi il découlait qu'on devait lui foutre la paix à ce sujet qui n'en était pas un.

Au demeurant et aussi incroyable que cela puisse paraître à ceux qui n'ont pas vécu ces événements, les gens s'habituaient aux meurtres et aux disparitions ; ils les intégraient peu à peu à leur univers mental. On cherchait toujours à se les expliquer ; on se passionnait pour telle ou telle thèse spectaculaire, mais nul ne s'encolérait plus de ce que l'abomination continuât. Ce n'était plus une abomination ; c'était devenu un signe des temps, ou plutôt, comme le dit avec bonheur un grand écrivain, un des syndromes, parmi d'autres, de la crise de civilisation. Cependant, en mai 78, le rapport définitif de l'Institut des statistiques pour le dernier trimestre de 1977 signala une légère baisse du nombre des avortements par aspiration. De son côté, la police des frontières nota une augmentation du nombre des jeunes femmes passant en Hollande ou en Angleterre pour des séjours de vingt-quatre ou de quarante-huit heures. En comparant les pourcentages de l'Institut et de la police, on constate qu'ils sont à peu de chose près les mêmes ; on peut en conclure (nous avons là-dessus d'autres indications formelles) que pas mal de femmes enceintes n'osaient plus se faire aspirer en France même.

Les tueurs-kidnappeurs eurent-ils vent de cette parade ou s'agit-il d'une coïncidence ? Toujours est-il que dans les semaines qui suivirent la mise en circulation, dans les cabinets ministériels, du texte des deux rapports ils s'en prirent à des jeunes femmes revenant d'un bref voyage à l'étranger, si bien que trois mois après la police des frontières constata que ce trafic diminuait régulièrement. Mais l'opinion n'eut pas le loisir de s'endormir, comme elle le désirait : un nouvel événement se produisit qui ranima l'angoisse.

CHAPITRE III

Là encore il est difficile, à la lecture de la presse ou à l'audition des bandes sonores de l'époque, de localiser dans le temps et dans l'espace le premier fait dont on puisse établir l'authenticité. Il semble que cette troisième série de méfaits parallèles, parce que tendant au même but, commença dans le centre de la France. En tout état de cause, on en entendit parler pour la première fois à Orléans, ville propice aux rumeurs.

A l'occasion d'une instance en divorce, un jeune époux allégua, pour raison de sa volonté de rompre le lien conjugal, que sa femme avait volontairement omis de prendre sa pilule dans le but de faire un enfant dont lui, le mari, ne voulait pas. Or, disait-il, une conjointe n'a pas le droit d'imposer un enfant à son conjoint. La jeune femme plaida qu'elle avait régulièrement pris toutes ses pilules, malgré quoi elle s'était retrouvée enceinte. Son avocat mentionna une statistique suédoise d'où il ressortait que la pilule ne bloquait l'ovulation que dans 98,5 % des cas ; il se pouvait donc que la grossesse de sa cliente appartînt aux 1,5 % de ratés. L'expert commis par le tribunal confirma la statistique suédoise et précisa que les pourcentages de succès et de ratages étaient à peu près les mêmes en France.

La cour donna raison à la jeune femme, dont les

témoins s'étaient accordés à jurer qu'elle était sérieuse, consciencieuse, honnête. Il paraissait exclu qu'elle fût capable de tromper volontairement son mari. Les choses en seraient peut-être restées là si la deuxième chaîne de télévision, prévenue on ne sait comment, n'avait pris l'initiative d'enregistrer de bout en bout l'audience et de la diffuser le soir entre deux feuilletons. Ce fut au demeurant une espèce d'événement, puisque c'était la première fois que le garde des Sceaux autorisait la télé à opérer dans un prétoire : l'opinion réclamait cette entrée des caméras dans les tribunaux depuis un quart de siècle seulement.

Dans les quarante-huit heures suivantes, des centaines de femmes téléphonèrent ou écrivirent aux info-demasses pour dire qu'elles avaient connu la même mésaventure, que, prenant consciencieusement la pilule, elles s'étaient néanmoins retrouvées enceintes. « La pilule est-elle aussi sûre qu'avant ? » s'inquiéta *l'Aurore*. « Qui manipule la pilule ? » demanda *l'Humanité*. « Ombres sur la pilule » *(le Figaro),* « Contraception, piège à con » *(Libération),* « La pilule contraceptive remise en question », annonça *le Monde*.

Le lendemain matin, à son journal de 8 heures, Europe n° 1 interviouva sans ménagement le directeur technique des laboratoires Théra.

— Trois questions, monsieur. Premièrement, avez-vous récemment modifié la composition de vos pilules ? Deuxièmement, quelle est la proportion d'échecs qu'on enregistre en France, avec la pilule, par rapport aux pays étrangers, la Scandinavie par exemple ? Troisièmement, que ferez-vous si une femme, victime d'un de ces échecs, se retourne judiciairement contre vous ?

— Vos questions sont brutales, répondit le directeur au spiqueur, mais je suis tout disposé à vous répondre. Réponse au premièrement : oui, nous avons récemment modifié la composition de nos pilules. Mais nous la modifions régulièrement, au fur et à mesure des progrès de nos chercheurs. La pilule d'aujourd'hui n'a en commun que le nom avec la pilule de papa.

— De maman, coupa le spiqueur, pour détendre l'atmosphère.

— Façon de dire, reprit le directeur, entrant dans le jeu. Donc nous modifions continuellement notre produit de façon à le rendre à la fois plus efficace et plus aisément assimilable par l'organisme. Du reste nous ne prétendons pas avoir le monopole de ce progrès.

— Vous êtes le seul fabricant de pilules ? demanda le journaliste.

— Oui. Il y a quelques années nous étions une demi-douzaine, mais à cause de la crise nous avons dû nous regrouper, sur l'incitation de l'État au demeurant, et avec son aide, comme vous le savez. Cela nous permet de consacrer davantage d'argent à la recherche fondamentale, et tout le monde en profite.

— Donc, monsieur, vous affirmez que les pilules mises actuellement sur le marché français sont efficaces, bien contrôlées et...

— Absolument.

— Alors comment expliquez-vous les ratés dont des milliers de femmes se plaignent ?

— Tout d'abord, monsieur, nous n'avons jamais prétendu à une efficacité à 100 % ; cela n'existe nulle part. Notre marge d'inefficacité se situe entre 1,4 et 1,5 %, ce qui en fait une des plus faibles du monde occidental. Ensuite, et c'est un fait d'expérience confirmée par les sondages, il arrive très souvent qu'une femme désirant inconsciemment un enfant – pas besoin d'avoir lu Freud pour comprendre – croie avaler régulièrement sa pilule et l'oublie, en fait, de temps en temps, sans s'en rendre compte. Il s'agit là d'un mécanisme psychologique bien connu, souvent décrit sous le nom d'acte manqué. Par exemple, une jeune épouse très éprise de son mari détache, le soir, la pilule de sa plaquette, la prend entre ses doigts, boit un verre d'eau et, inconsciemment, laisse tomber la petite boule dans le lavabo. Sans même le remarquer, et en toute bonne foi.

– Et pourquoi ce genre d'actes manqués arriverait-il maintenant plus souvent qu'auparavant ?

– Permettez-moi de sourire. Cela n'arrive pas aujourd'hui plus souvent qu'avant. Ce qui est arrivé, c'est que la télé a fait de la publicité à ces incidents et que nombre de femmes ont sauté sur l'occasion pour justifier leur grossesse auprès de leur mari, et même la justifier à leurs propres yeux.

Le directeur répondit aussi brillamment aux autres questions et Europe n° 1 reçut un énorme courrier d'auditrices. Plus de 80 % des lettres contenaient des marques de satisfaction.

Nombre de femmes n'avaient pas attendu ce tintamarre audio-visuel pour se rendre compte que quelque chose clochait du côté de la pilule française. Celles qui en avaient les moyens allèrent s'en procurer en Suisse, en Allemagne, en Belgique, etc. Mais la grande majorité ne pouvait assumer ces dépenses ni ne disposait des loisirs suffisants. Tout en déplorant qu'on en fût revenu à de telles incertitudes, les journaux féminins ne manquèrent pas de rappeler à leurs lectrices qu'il existait d'autres moyens de contraception, comme le stérilet, le pessaire, sans oublier les instruments propres aux hommes. Malheureusement, le succès de la pilule avait fait abandonner la fabrication des stérilets et on n'en trouvait pas sur le marché (il y en avait bien quelques-uns chez des antiquaires ; mais seules les dames d'un certain âge et du seizième le savaient). On trouvait en revanche des pessaires, fabriqués par la firme pharmaceutique qui avait le monopole de la pilule. Le diaphragme revint donc à la mode, mais des clientes s'en plaignirent : il ne procurait pas non plus une sécurité totale.

Un journal eut le courage de poser la question : les diaphragmes sont-ils sabotés ? Il rappela une affaire survenue dans la région lyonnaise avant la deuxième guerre mondiale. Des ouvriers et des ouvrières catholiques travaillant dans une fabrique de préservatifs en caoutchouc souffraient d'un cas de conscience : l'Église interdisant l'emploi de ces instruments, ils demandèrent à leur confesseur ce qu'ils devaient faire.

– Soulager votre conscience, répondit-il, en contribuant, si peu que ce soit, à rétablir le jeu de la loi naturelle voulue par Dieu.

En foi de quoi ils s'arrangèrent pour percer d'un coup d'épingle une capote anglaise sur sept, chiffre sacré.

La presse féminine rappela encore à ses lectrices un moyen de contraception fort ancien et tombé en désuétude, le *coïtus interruptus*. La pilule en avait fait oublier l'existence, y compris en Chine où pourtant les taoïstes en ont pendant des siècles recommandé la pratique pour des raisons physiologiques et morales.

Certains magazines illustrés en décrivirent la gymnastique avec photos et croquis à l'appui. La chose n'alla pas toute seule : les hommes grognèrent et il se créa des associations qui, sur le modèle des mouvements de libération de la femme des années 60, réclamèrent la libération sexuelle de l'homme, au nom du droit à l'orgasme. La grande presse se fit l'écho de ces lamentations et d'autant plus volontiers qu'elle était aux mains des hommes. *Le Monde* publia deux pages de lettres de lecteurs annoncées en première page par un éditorial vigoureux du directeur. *Le Nouvel Obs* fit de cette affaire le thème de sa relance annuelle de la rentrée d'octobre 78, avec des graphiques multicolores. *Le Canard enchaîné* fit des mots, selon son habitude : « Coït interrompu, coït foutu. » *Minute* politisa le débat en affirmant que le *coïtus interruptus* était une méthode nègre et arabe.

Mais, en fait de politisation, ce fut de la gauche que partit l'orage. Jeanne Chipy, alors âgée de près de soixante-dix ans, compagne du secrétaire général d'avant la guerre – la troisième Jeanne de France, comme l'appelaient ses camarades, Jeanne conscience du Parti – prononça à la tribune de l'Assemblée nationale une attaque féroce contre les trusts pharmaceutiques et leur allié le gouvernement.

– Les difficultés que connaissent les femmes en matière de contraception ne les frappent pas toutes également, dit-elle. Les bourgeoises qui ont loisir et argent n'ont aucun mal à aller à l'étranger, tous les mois s'il le faut, acheter des plaquettes offrant une garantie absolue. Il n'en va pas de même pour les femmes de la classe ouvrière que le travail, les soins du ménage et des enfants privent de loisir et qui, de toute manière, n'ont pas les ressources financières suffisantes pour se payer le voyage.

» Voilà donc ces femmes démunies d'un instrument

48

sûr de contraception. Que se passe-t-il ? Leurs maris et compagnons, qui sont, eux aussi, des travailleurs, sont obligés de pratiquer le coït interrompu. Cette méthode présente de grands risques d'insuccès, on le sait : un travailleur fatigué par ses huit heures d'atelier et ses deux heures de transport ne dispose pas de réflexes parfaits. Plus graves encore sont les répercussions sur le psychisme des hommes ; tous les psychiatres en tombent d'accord : insatisfaction, hypernervosité, ulcères d'estomac, etc.

La camarade Chipy accusa alors le patronat et le pouvoir de chercher, par ce moyen infâme, à démobiliser le prolétariat, à détourner son énergie de la lutte des classes pour faciliter la domination du capitalisme monopoleur d'État et des trusts apatrides. Toute l'aile gauche de l'hémicycle l'applaudit longuement, cependant qu'on entendait, sur le côté droit, des voix criant : « A Moscou, à Moscou ! » C'est alors que se produisit un incident qui eût dégénéré en pugilat sans la présence d'esprit du président de l'Assemblée. Alors que ses amis lui manifestaient bruyamment leur approbation, Jeanne Chipy aperçut deux députés du centre droit qui riaient comme des fous. Dès que le silence se fit et histoire de récolter une nouvelle salve d'applaudissements, bienvenue pour elle à trois jours du sondage mensuel de la Sofrès sur la popularité des hommes politiques, elle interpella les deux rieurs :

— Mesdames et messieurs, s'écria-t-elle, il y a ici des députés qui rient aux éclats lorsqu'on évoque devant eux la misère du peuple français.

Tout un chacun tourna les yeux vers les deux coupables, dont le plus âgé se leva et, de son banc, tenta de minimiser l'incident.

– Ma chère collègue, dit-il à Chipy, mon voisin et moi rions seulement d'une plaisanterie que je me suis permis de faire et qui n'a rien à voir, croyez-moi, avec le peuple, que j'aime et respecte tout autant que vous.

Il y avait dans sa voix quelque chose d'indécis, comme une crainte, que Jeanne perçut et exploita sur-le-champ.

– Eh bien ! mon cher collègue, si votre plaisanterie est si inoffensive, faites-nous-en profiter, nous jugerons sur pièce.

– Tout de même, mesdames et messieurs, Mme Chipy exagère. Je n'ai pas, me semble-t-il...

Mais le piège jouait ; de droite, du centre et de gauche, les uns par pure curiosité, les autres par désir de le mettre dans l'embarras, des voix s'élevèrent :

– Allez-y, cher collègue, allez-y !

Il se troubla, rougit.

– Je ne sais, dit-il...

Le vieux roublard du perchoir intervint alors :

– Mon cher collègue, vous en avez trop dit ou pas assez. Par respect pour la souveraineté populaire, je vous demande de répéter ce que vous avez raconté à votre voisin.

– Ça brave l'honnêteté, dit le député.

– Au point où nous en sommes ! dit le président.

– Eh bien ! reprit l'autre, j'ai tout simplement cité à mon voisin et ami, à propos du *coïtus interruptus* dont parlait Mme Chipy, la phrase célèbre du poète Martial : *Uxor duos cunnos habet*. Voilà, c'est tout. Il n'y a pas de quoi fouetter un chat.

A la tribune, Jeanne Chipy flottait. Elle n'avait rien compris de la citation du poète Martial et cherchait des yeux, du côté de son groupe, un camarade qui pût lui indiquer le sens de ces mots étranges. Ce fut le président de l'Assemblée qui eut l'amabilité de la tirer d'affaire. Il se pencha du perchoir vers la tribune et lui glissa dans l'oreille :

– Ma chère amie, c'est la réponse que fit Martial à la lettre par laquelle un de ses amis lui recommandait vivement d'essayer les petits garçons. Il lui répondit donc : *uxor duos cunnos habet*, c'est-à-dire une épouse possède deux... orifices. Enfin, vous voyez ce que je veux dire.

Jeanne chancela sous le coup de l'indignation, le rouge lui monta au front, elle dut s'y reprendre à deux fois avant d'ouvrir la bouche. Ce spectacle impressionna les députés ; un épais silence se fit.

– Ainsi donc, monsieur, déclara-t-elle en martelant ses syllabes tel l'avocat général qui détache les derniers mots de son réquisitoire pour que les jurés n'en perdent pas une miette, ainsi donc, vous voulez faire sodomiser les femmes de la classe ouvrière !

Dès le début de sa phrase, elle désignait le coupable de l'index. En prononçant les derniers mots, elle leva lentement ledit index vers le plafond pour le rabattre sèchement en direction de l'infâme personnage, comme pour : « A mon commandement... Feu ! »

Une immense clameur accueillit l'accusation. Des rangs de la gauche surgirent trois douzaines de députés qui, avant que les huissiers n'aient eu le temps de s'interposer, avaient fondu sur l'interrupteur et lui secouaient le paletot. Dans la seconde, autant de députés de droite accoururent au secours du malheureux latiniste.

Au perchoir, le président agitait sa sonnette et priait les huissiers de s'interposer plus vigoureusement.

— Messieurs, messieurs, criait-il, je vous en prie, quel spectacle donnez-vous au pays, à l'Europe ! Messieurs, la France, la représentation nationale, je vais devoir appeler la garde... Pour un malentendu, une phrase qui a été si diversement interprétée depuis deux mille ans. Messieurs, Pline, Cicéron, Sénèque, Térence lui-même...

On échangea encore quelques horions, puis le calme se rétablit. A l'exception d'une demi-douzaine d'élus qui dataient du temps où on étudiait encore le latin, les députés n'avaient pas compris le sens de la remarque de Martial. La représentante démochrétienne de la circonscription de Tassin (Rhône) s'approcha du président pour lui demander ce que le latiniste avait dit, en fin de compte.

— Rien qui vous étonnera, chère amie, répondit-il. Il a dit qu'une épouse a deux cons.

— Et alors, demanda-t-elle, c'est vrai, non ?

— Je ne vous le fais pas dire, chère amie, repartit le président en descendant de son perchoir.

Il la prit par le bras.

— Venez boire un verre à la buvette, ces abrutis m'ont donné soif.

Dans le couloir menant au bar, le président et sa collègue tombèrent sur un attroupement bruyant. Un des doyens de l'Assemblée, un député radical du Sud-Ouest vieux de plus de quatre-vingts ans, gesticulait. Sa joue droite était rouge comme une pivoine.

— Intolérable, mœurs de sauvages, inadmissible ! glapissait-il.

— Qu'avez-vous donc, cher président ? lui demanda le président.

— Il y a, président, que notre collègue Jeanne Chipy vient de me gifler.

52

– Par exemple ! dit le président, et pourquoi donc ?

– Parce que je chantonnais, président.

– Vous chantonniez, mais c'est bien votre droit. Et que chantiez-vous donc ?

– Oh ! vous savez, l'incident sur le *coïtus* m'a remis en mémoire cette scie à la mode au temps de notre jeunesse, vous savez bien, président : « Retirez-vous, Gontran, retirez-vous. »

– Et alors, demanda le président, qu'avez-vous fait de mal ?

– Jeanne Chipy, qui en passant m'a entendu, a crié, hors d'elle, que j'insultais la classe ouvrière et m'a giflé.

Les personnes qui assistèrent à la scène et entendirent les explications du doyen radical hochèrent la tête : l'Union de la Gauche se présentait de plus en plus mal.

Il existait alors plusieurs associations dont l'objectif proclamé était de limiter, sinon d'interdire, les avortements. Au moment de l'introduction en France des techniques contraceptives modernes, elles avaient tenté de s'y opposer. Elles regroupaient avant tout des croyants de plusieurs Églises, venus là pour de strictes raisons éthiques. Elles menaient grand bruit, inondant les infodemasses de protestations et de communiqués, stigmatisant les lois permissives et leurs auteurs, clouant au pilori la hiérarchie catholique qui manquait singulièrement d'allant dans la lutte pour la pureté des mœurs. Ou plutôt, et cette nuance a son importance, elle manquait de plus en plus d'allant après avoir quelque temps donné l'impression qu'elle voulait prendre la direction du combat. Outre que ces associations, comme « Laissez-les vivre », « Fécondez nos ventres », « Bénissez notre semence » et d'autres, avaient pour dirigeants des prêtres, des pasteurs, des dames du monde, des savants au-dessus de tout soupçon, personne n'imaginait qu'elles jouassent un rôle quelconque dans les meurtres ou les enlèvements : ceux-ci supposaient une organisation, une technique, des hommes de main et, bien évidemment, un mépris de la vie humaine, qui ne leur ressemblaient pas. Il suffisait au demeurant d'observer ces personnes quand elles défilaient en ville, portant sur des pancartes le nom de leurs associations, pour se rendre compte qu'il s'agissait d'amis de la vie, de pacifistes.

Cependant on s'intéressa de près à leurs activités – en vain, hâtons-nous de le dire – à l'occasion d'incidents sans gravité mais tout de même troublants qui se multiplièrent à la fin de l'année 78. Au matin du 11 novembre, alors que tout le monde se rendait au monument aux morts pour la cérémonie du souvenir, cérémonie silencieuse depuis que le Président avait interdit les sonneries de clairon sur tout le territoire parce que c'était un instrument de musique guerrier, on découvrit sur les murs de plusieurs immeubles et sur la porte de quelques pavillons, à Caen, à Cognac, à Dijon, dans une centaine de villes et de gros bourgs, un dessin étrange, peint en rouge, tenant dans une circonférence faite d'un épais trait noir : une tête de mort avec deux tibias croisés au-dessous. Entre les tibias, la lettre A en majuscule. A pour *avortée,* chacun le comprit immédiatement. Il y avait donc dans ces immeubles et dans ces pavillons une femme, mariée ou non, qui venait de se faire avorter.

On imagine l'effet que ces dénonciations firent dans le public et sur les femmes ainsi stigmatisées ; c'était comme si on les avait montrées du doigt et, de fait, des gamins s'arrêtaient devant telle ou telle porte, supputant à haute voix, cherchant à établir une correspondance entre le signe et une des habitantes du lieu. Ce n'est pas par hasard qu'on en vint à soupçonner les associations dont nous venons de parler. Et pour cause ; en plusieurs endroits on trouva, au pied de la tête de mort, des tracts émanant d'elles. Elles crièrent à la provocation, protestèrent qu'aucun de leurs adhérents n'était impliqué dans ce genre d'exercice. Les enquêtes de la police les blanchirent rapidement et, du coup, le gros des citoyens se persuada qu'il y avait là-dessous quelque tour de passe-passe machiavélique. Mais nombre de Français continuèrent de penser qu'elles n'étaient pas étrangères à l'opération ; comme on s'en rendit vite compte, la plupart de ces Français-là partageaient l'idéologie des associations et approuvaient l'apposition du signe qui se voulait infamant. Ils l'approuvaient tellement que ce signe se multiplia un peu partout en France, et jusque dans les moindres hameaux. Ne disposant ni des moyens ni de l'habileté des professionnels, nombre de ces peintres de la nuit se firent prendre en flagrant délit. Mais, outre leur fanatisme qui les poussait à ne pas tenir compte des risques, les peines que leur infligèrent les tribunaux, de simples amendes, n'étaient guère de nature à les dissuader.

Il y eut jusqu'à 1 234 stigmatisations par nuit.

Quand on présente ces faits dans un ordre cohérent, comme nous le faisons, il s'en dégage une ligne directrice, ce qu'on pourrait appeler une stratégie. Les meurtres des gynécologues, la disparition de femmes retour d'aspiration, la mise en scène télévisée visant à accréditer l'inefficacité de la pilule contraceptive, mille et un détails, comme le coup de théâtre qui marqua la dernière minute du Face-à-Face Clapouard-Pécus, tout cela sent sa combinaison. Manifestement, se dit-on en observant l'enchaînement des phénomènes, il existait en France un groupe fort bien organisé, agissant dans l'impunité et donc protégé, qui s'était donné pour but de réprimer la contraception et l'avortement, d'en détourner les femmes et les filles de France. Ces réflexions, ces conclusions si logiques, nous y aboutissons aujourd'hui aisément parce que nous avons tout rassemblé en une seule main, coagulant le temps et l'espace, mais les hommes et les femmes de l'époque n'avaient pas les moyens de survoler les événements de si haut. Combien de personnes avaient eu connaissance de l'ensemble des incidents rattachables à l'opération ? Très peu, bien sûr, et celles qui savaient avaient des raisons de se taire. Ensuite, une fois admis qu'un journal, qu'un syndicat, qu'un parti aient pu aligner assez de ces faits dans un ordre logique, quoi faire ? Il leur eût fallu aller plus loin et nommer les responsables, les auteurs d'une si improbable manipulation.

Les insuccès de la police, tant dans la recherche des meurtriers des gynécologues que dans les enquêtes concernant les femmes enlevées, étaient flagrants, et les infodemasses ne se gênaient pas pour les souligner. La campagne de stigmatisation perturbait les esprits ainsi que les rumeurs courant sur l'insécurité des moyens de contraception. L'opinion publique nourrissait des soupçons. Mais de là à passer à la pire des accusations, à savoir que l'impuissance de la police était voulue et donc que les crimes bénéficiaient de la complicité des pouvoirs publics, il y avait un pas, un gouffre. Intolérable procès d'intention ! Les dirigeants français du moment passaient à juste titre pour les plus modernes et les plus libéraux qu'on eût vus au pouvoir depuis de nombreuses années. Ici et là, des voix critiquaient du reste aigrement leur permissivité : la contraception à partir de l'école primaire, l'avortement, l'érotisme, les drogues douces, l'objection de conscience, l'horaire à la carte dans les usines et les bureaux, deux mois de congés payés, la disqualification de la plupart des vols en emprunts, le pouvoir régional, la retraite à cinquante-cinq ans, le mariage entre homosexuels, la syndicalisation des soldats du contingent, etc., ils avaient tout permis, tout libéralisé. Le président de la République avait même pris comme secrétaire d'État à l'Égalité des sexes une des fondatrices du Mouvement de Libération de la Femme, célèbre dans toute la France pour sa campagne des années 70 en faveur de l'égalité des sexes, justement. Tout d'abord, son argumentation avait choqué plus d'un esprit : « Nous ne pouvons pas, disait-elle, faire tourner à l'envers la roue de l'histoire ; la société de consommation continuera, l'humanité après l'âge de pierre, l'âge de bronze, etc., vit à l'âge de l'objet. Voilà pourquoi, depuis l'avènement du capitalisme, la femme est devenue la femme-objet. Au lieu de tenter, vaine entreprise, de revenir à on ne sait quel statut antérieur qui ne valait pas mieux, il faut et il suffit, pour établir l'égalité, que les femmes traitent à leur tour l'homme comme homme-objet. » Elle avait fait placarder sur les murs, dans les journaux, passer à la télé, une affiche qui représentait une jolie fille nue, la main tendue pour cueillir ou accueillir, avec cette simple légende : « Votre quéquette m'intéresse. »

Grâce à la décision du Président, l'égalisation des sexes était entrée dans la loi et dans les mœurs. Élu quatre ans auparavant, Loubard de Mirobol se battait pour débloquer la société, décrisper les relations entre les classes mais aussi entre les individus. C'eût été commettre plus qu'une injustice de le soupçonner d'on ne sait quelle complaisance envers les gens qui faisaient tuer des gynécologues et kidnapper des jeunes femmes.

Au demeurant, on y eût regardé à deux fois avant de le mettre personnellement en cause ; le peuple l'admirait, répétons-le, pour son air poli, pour la douceur de ses yeux bruns, pour l'étroitesse de son visage aristocratique qui démentait à lui seul les bruits imbéciles qui couraient sur la fausseté de sa noblesse. Le peuple l'aimait aussi pour ce je-ne-sais-quoi de tendre, de juvénile, de câlin, de fragile qui émanait de sa personne. On lui pardonnait bien des péccadilles. Ne comprenant pas grand-chose aux affaires financières et économiques, il s'acharnait à en parler en public à tout propos, s'aidant pour ses démonstrations du tableau noir et de la craie. Au bout de trois ou quatre minutes, il s'embrouillait dans les chiffres, bégayait, zézayait, sortait son mouchoir blanc orné dans le coin d'une couronne marquisale, s'essuyait le front et, courageusement, se jetait à nouveau dans les équations. Pour ce courage-là, le peuple avait envie de le protéger.

Ses ministres et ses proches collaborateurs di aient le chagrin et l'angoisse que lui causaient les événements ci-dessus évoqués. Régulièrement, le secrétaire d'État à l'Information rapportait qu'en conseil Loubard avait adjuré le ministre de l'Intérieur de redoubler d'efforts pour en finir avec l'inquiétante hécatombe. L'opinion compatissait à la douleur du Président. A la mi-décembre de cette mémorable année 78, le service de presse élyséen attira (pour information, non pour publication) l'attention des journalistes accrédités sur le discours traditionnel de fin d'année du Président. Ils firent leur devoir :

— Je crois savoir, dirent-ils ou écrivirent-ils, avec l'air entendu et mystérieux de ceux qui ont accès aux plus secrètes confidences, que l'allocution du Président pour les vœux du Nouvel An revêtira une importance exceptionnelle.

Radios, télés et journaux brodèrent sur ce thème pendant quinze jours et, le 31 décembre au soir, la France entière retenait son souffle en attendant l'apparition sur le petit écran du noble visage du chef de l'État.

— La France, dit-il d'emblée, c'est ce qu'il y a de meilleur. Ce n'est pas ce qu'il y a de plus grand. Il y a des pays plus vastes que le nôtre. Mais le pays où les choses sont les meilleures au total me paraît être la France.

Il développa ce point pendant cinq minutes et si, par un coup de baguette magique, on avait alors pu contempler les millions de Françaises et de Français, grands et petits, installés devant la télévision, on eût observé cette émotion, ce bouleversement de tout l'être qui saisissent nos compatriotes lorsque leur Président parle si bien de la France, c'est-à-dire d'eux-mêmes. Après cet exorde, Loubard de Mirobol aborda un moindre sujet, bien que fort présent dans l'actualité ; il était en mesure, sur la foi du ministre de l'Intérieur, d'espérer que ces affreuses séries de crimes et d'enlèvements cesseraient bientôt, car les services de la police nationale avaient enfin réussi à relever les traces d'organisations soupçonnées d'en être les instigatrices. Puis le Président énuméra les vœux qu'il formait pour les Français. Il s'étonna en passant des critiques d'une certaine opposition qui accusait le pouvoir de manquer d'ambition.

— On nous dit qu'il faut un Grand Dessein à la France, à sa jeunesse, à tout son peuple. J'en suis d'accord. Mais d'être la France, de continuer de l'être, de la faire plus grande, plus forte, plus nombreuse, ce à quoi nous nous employons, n'est-ce pas le Grand Dessein par excellence ?

Incidemment, il apprit à ses auditeurs que pas plus tard que la veille, 30 décembre, on lui avait fait part d'une bonne nouvelle. Il s'agissait du rapport annuel de l'Institut national de démographie : la courbe des naissances, qui depuis trente ans descendait régulièrement, s'était relevée à partir de l'été 1977 et son redressement se confirmait tout au long de l'année qui s'achevait.

— Vive la France, vive les Françaises, vive les Français ! dit-il enfin.

CHAPITRE IV

Les infodemasses du 1er janvier 79 saluèrent avec enthousiasme l'allocution présidentielle ; la presse gouvernementale se félicita de ce que Loubard eût fait sienne cette idée de Grand Dessein dont quelques caciques de l'opposition parlaient à tout hasard, pour faire croire qu'ils nourrissaient d'immenses ambitions pour la France, ambitions qu'ils se gardaient au demeurant de définir. L'expression elle-même, Grand Dessein, avait pour lointain auteur l'homme qui, à deux reprises, avait sauvé la nation, d'abord de l'étranger, ensuite d'elle-même. Que l'éternel parti de la grogne et de la rogne l'eût reprise à son compte n'avait rien d'étonnant ; ceux qui adhéraient à ce rassemblement hétéroclite avaient pour habitude de condamner d'abord ce que le Général proposait, de tout faire ensuite pour l'empêcher de réaliser ses projets, enfin de déplorer avec éclat leur inaccomplissement.

Mais avant d'exposer en détail les buts, les voies et les moyens du Grand Dessein que Loubard de Mirobol évoqua discrètement au soir du 31 décembre 78 devant les caméras de la télévision, Grand Dessein qu'on appela aussi, bien qu'improprement, comme on le verra, Opération France-Bébés, reprenons le fil chronologique des événements.

L'allusion présidentielle aux organisations instigatrices des meurtres de gynécologues et des enlèvements de jeunes aspirées suscita maint commentaire. Quelques organes de presse désignèrent la Mafia. *L'Humanité* s'en prit vivement au ministre de l'Intérieur, Pénibilis, qu'elle accusa de collusion avec la C.I.A. Pour *l'Huma,* seule la centrale américaine avait les moyens de commettre ces crimes, et elle les commanditait dans le but évident de susciter en France un tel sentiment général d'insécurité que la population, affolée, se ralliât au panache blanc du premier homme fort venu. On reconnaissait bien là les méthodes mises en œuvre au Chili, en Bolivie, au Guatemala, etc., pour faire le lit de la dictature fasciste.

A l'extrême droite on avança une autre explication ; à l'occasion des affaires de Palestine, les services secrets soviétiques s'étaient avisés d'utiliser systématiquement tous les groupuscules anarchistes, gauchistes, situationnistes, terroristes, pour semer le désordre en Occident. Objectif : conduire graduellement le monde capitaliste au bord de la panique et le cueillir une fois mûr. Enfin quelques gazettes, dont la tendance variait en fonction des opinions du généreux mécène qui leur facilitait les fins de mois, incriminèrent les services chinois dont l'infrastructure s'étendait continuellement en France ; il suffisait de considérer le nombre de nouveaux restaurants cantonais s'ouvrant chaque année dans l'hexagone. Comme pour confirmer l'optimisme des vœux présidentiels, janvier 79 passa sans qu'aucun gynécologue fût assassiné. Ce mois-là il ne disparut que trois jeunes femmes récemment avortées, une à la frontière suisse, deux à la frontière allemande.

Un chauffeur de car qui transportait soir et matin

des ouvriers alsaciens travaillant de l'autre côté du Rhin et qui profitait de ces va-et-vient pour aider, bénévolement du reste, des femmes dans le besoin à passer discrètement la frontière fut retrouvé près de son domicile avec une balle de Lüger 9 mm dans la nuque. Ses collègues chauffeurs qui rendaient les mêmes services renoncèrent à leur apostolat. La police restait moins que jamais inactive : la brigade antigang avait arrêté en deux ans plus de cent cinquante suspects que les juges d'instruction avaient sur-le-champ mis en détention préventive. Quelques-uns, munis de solides alibis, avaient été relâchés dans les mois qui suivirent ; les autres attendaient : l'augmentation de la criminalité allongeait inévitablement les délais de l'instruction.

En février on ne signala aucun crime de sang en rapport avec ceux dont on vient de parler. Pour ce qui est des stigmatisations par tête de mort, tibias entrecroisés et grand A au milieu, elles continuèrent à la moyenne quotidienne de deux cents. Les déficiences pilulaires allaient leur train-train.

Sur ce dernier chapitre, et en dépit de quelques articles de presse indignés, en dépit aussi des proclamations échevelées du dernier carré de militantes féministes à l'ancienne mode, l'opinion restait sceptique. Selon certains sondages, fort discutés dans les milieux officiels, le pourcentage moyen des défectuosités avoisinait 6 %. C'était certes supérieur à l'inefficacité moyenne d'environ 1,5 % admise par le fabricant, mais, tout de même, il n'y avait pas de quoi faire un drame. D'ailleurs les femmes préféraient toujours la pilule à tout autre contraceptif et les hommes aussi. Pas parce que le diaphragme passait également pour peu fiable ; il se trouve que cet instrument, par sa forme, par la gymnastique disgracieuse que sa mise en place requiert, par on ne sait quel dégoût qu'il suscite dans l'imagination des mâles, n'a jamais eu la cote chez nous. Les hommes n'ont certes jamais aimé que leurs compagnes s'introduisent dans le sexe autre chose que leur pénis ; et, ce sentiment viril, les Français l'éprouvent plus qu'aucun autre peuple.

La pilule présente l'avantage incomparable d'être un petit quelque chose de minuscule, d'inoffensif, de joli, se dissolvant en un rien de temps, agissant loin des organes dont elle libère le jeu. A côté des outils tant soit peu barbares que sont les pessaires, diaphragmes et autres capotes dites anglaises, elle tient de la prière jaculatoire, la plus gracieuse de toutes.

Elle resta donc le moyen favori des Françaises. Pour expliquer ses défaillances – tout en les minimisant – les journaux parlèrent de phénomènes d'accoutumance, d'auto-immunisation, comme pour les antibiotiques. Nombre de gynécologues prescrivirent des pauses dans son absorption ; naguère ils recommandaient des abstentions d'un mois par an ; ils conseillaient maintenant des pauses de six à neuf mois.

Quant à la pilule pour hommes, mise au point fin 77 et commercialisée depuis, elle resta dans les pharmacies. Le mâle français se refusa et se refuse encore à l'utiliser. Plus les organisations féministes rétro firent de tapage à son propos, plus le nombre des réponses négatives des hommes sondés s'accrut. En tout état de cause, le pourcentage le plus élevé de Français se déclarant prêts à prendre la pilule pour hommes ne dépassa jamais 3 % ; encore faut-il préciser que ce chiffre comprend pas mal d'homosexuels. On notera du reste avec intérêt qu'à 85 %, selon les sondages, les

Françaises approuvèrent le refus de leurs hommes ; c'est que tout comme eux, et nonobstant les assurances prodiguées par les pharmacologistes, elles craignaient que cette pilule-là eût une incidence fâcheuse sur la puissance virile.

Nous parlions tout à l'heure de guerre psychologique ; la défaillance de la pilule pour femmes en fut un des volets les plus importants et cette défaillance ne dut rien au hasard. Pour comprendre ce qui s'est passé, remontons à l'année 1964, que marqua une récession économique.

Cette année-là, l'industrie de la chimie pharmaceutique voit son chiffre d'affaires baisser dangereusement. Les conseils d'administration lancent un cri d'alarme ; les investissements pour la recherche se trouvent menacés et, sans recherche, toute la pharmacie française serait menacée de passer sous le contrôle des trusts américains et allemands. Les entreprises pharmaceutiques françaises subissent certes le contrecoup de la récession ; mais elles sont surtout victimes, au plan financier, de la réforme de la Sécurité sociale qu'a instituée le ministre de l'Économie, Ludovic Hapié, ancien Premier ministre.

Hapié, à l'heure où nous couchons ces notes sur le papier, est un vieux monsieur distingué, serein ; en ce temps-là, il pétait le feu. Après avoir participé héroïquement à la Résistance à l'occupant allemand, dans les années 40-45, il devint parlementaire et attacha son nom à toutes les entreprises, de la campagne d'opinion à la conjuration, voire à la guerre civile larvée, qui se donnaient pour objectif de rétablir la grandeur de la France et la restauration de l'État, qui vont de pair. Il joua un rôle important dans le retour aux affaires du

Général, qui lui confia un poste considérable au gouvernement et le mit ensuite au ministère de l'Économie. C'est là que nous le retrouvons en train de chercher à sauver la pharmacie française après l'avoir frappée à la caisse au moyen de la réforme de la Sécurité sociale.

Les P.-D.G. et leurs conseillers tombèrent sur un ministre parfaitement au courant de leurs difficultés, ce qui fit dire à l'un d'eux qu'il connaissait leurs chiffres mieux que les plus calés des experts :

— Il nous a paru que le ministre s'intéressait à nous depuis des mois, confia-t-il à Europe n° 1.

Ignoraient-ils qu'Hapié s'installait dès six heures à sa table de travail, qu'il déjeunait d'un sandeviche en dix minutes, qu'il ne dînait jamais en ville, qu'en quittant son bureau sur le coup de vingt heures il emportait ses dossiers à son domicile où il ne s'accordait que trois heures de sommeil, ce qui ne contribuait pas peu à le rendre nerveux ?

Il commença par les accuser d'imprévoyance, de légèreté, ce qui leur fit baisser la tête, car ce n'était que trop vrai : ils avaient tout misé sur la Sécurité sociale dont ils avaient fait le collecteur, à leur profit, de l'argent des malades. Puis il leur reprocha de marcher en ordre dispersé. Aucune des sociétés françaises de ce secteur ne faisait le poids face à la douzaine de firmes américaines, allemandes ou suisses travaillant dans leur branche. S'ils persistaient à ne pas se regrouper, dans moins de dix ans il n'y aurait plus de brevet français en matière de médicamentation avancée.

Ayant dit, il trancha : l'État aiderait, et copieusement, mais à la condition qu'on se concentre selon ses ordres ; il n'y aurait plus que deux groupes d'entreprises, avec dans l'un et l'autre une participation de la puissance publique. A prendre ou à laisser.

66

Passons sur les différentes mises en condition personnelles qui firent réfléchir puis céder les patrons récalcitrants. Début juin 65, moins d'un an après l'opération montée et menée par Hapié, la presse économique parisienne annonça les fusions. Le premier groupe, Théra, s'adjugea par exemple le monopole de la fabrication des contraceptifs. Il y eut des hoquets en Bourse ; dans les journaux, des éditorialistes de jadis déplorèrent qu'une fois de plus l'État, en s'introduisant dans les conseils d'administration, outrepassât son rôle. Ce peut d'orage ne dura pas ; Hapié savait aussi parler aux directeurs de journaux.

Cette série de fusions et de concentrations rendit nécessaire la restructuration des départements de recherche et de fabrication ; Hapié demanda qu'on s'attachât tout particulièrement à bien choisir des ingénieurs jeunes et bagarreurs. Il poussa la sollicitude jusqu'à recommander un jeune biochimiste, fils d'un de ses vieux amis de la Résistance. A sa demande, on plaça le garçon, qui était docteur ès sciences et diplômé d'Harvard, dans le département des œstrogènes de synthèse. Quelques années après, grâce à l'appui constant d'Hapié, mais aussi grâce à ses compétences, il devint chef de ce département. Fin 76 il fut promu directeur général ; les laboratoires du département des œstrogènes étaient alors peuplés de chercheurs et d'ingénieurs choisis et nommés par lui.

Dès janvier 77, les plaquettes mises à la disposition des Françaises contenaient trois pilules déficientes.

Voici la technique utilisée : un très faible pourcentage de pilules était sous-dosé ; mais la quantité d'œstrogène manquant y était remplacée par un isomère de l'œstrogène, si bien qu'une analyse ordinaire ne pouvait indiquer le subterfuge. De là vient qu'on ne découvrit jamais la fraude.

Le pourcentage des malfaçons par plaquette était de une pilule sur sept, soit trois pilules pour vingt et une ; les trois en question groupées et placées de manière à être absorbées à la suite l'une de l'autre au meilleur moment du cycle. On sait qu'une seule omission ne suffit pas à annihiler l'effet des œstrogènes absorbés les jours précédents ; deux abstentions sont déjà scabreuses ; trois, c'est la grossesse. Le total des défectuosités, pour les 252 pilules annuelles, se montait donc à 36.

Tant pour conserver le renom à l'étranger de la pharmacie française que pour parer à d'éventuelles analyses en profondeur, on ne truqua pas les plaquettes destinées à l'exportation. Cette astuce eut un résultat positif ; quand le bruit courut en France que la pilule française avait des défaillances, les gouvernements des pays qui importaient des pilules françaises les firent analyser en long et en large par les laboratoires officiels ; leur verdict fut positif : les pilules françaises étaient efficaces à au moins 99 %, ce qui en faisait les meilleures du monde. Ces résultats, largement publiés en France par les infodemasses, contribuèrent énormément à rassurer les femmes et les filles de notre pays.

Dans les années 82, un des ingénieurs chimistes dont nous avons parlé plus haut crut bon, pour libérer sa conscience, de révéler une partie de ce que nous venons de relater ; apparemment, il comptait déclencher un scandale. Il n'intéressa personne et *le Monde* se contenta de publier un court résumé de ses déclarations dans un bas de page. *Radio et Télé-Luxembourg* reprit l'information, mais à son bulletin de 4 heures du matin. La révélation fit chou blanc. C'est qu'alors tout avait bougé chez nous.

Ce qui s'était passé relève beaucoup plus de l'histoire des mentalités que de l'histoire événementielle. Pendant des mois et des mois, en fait depuis octobre 1974, comme nous le verrons, les femmes, et dans une certaine mesure les hommes, avaient subi un matraquage psychologique intensif, une formidable pression morale dont l'objectif était de les mettre en condition, de modifier leur état d'esprit, de réveiller au fond d'eux-mêmes, à propos de la reproduction de l'espèce, de la maternité et de la paternité, la fatalité millénaire qu'ils avaient cherché à chloroformer par la contraception et l'avortement. C'est parce qu'ils doutaient de la France que les Françaises et les Français, désespérant d'eux-mêmes, évitaient de se reproduire : l'opération psychologique consista à leur rendre l'espoir.

Menée avec les moyens efficaces que nous avons vus, fut-elle particulièrement bien conduite ? Ou bien la mentalité des années 60-77, ce fameux droit à l'auto-détermination de son propre corps (belle formule creuse : est-on libre de sa vie et de sa mort ?), n'avait-elle qu'effleuré, sans en modifier la structure profonde, l'éternel féminin ? Toujours est-il qu'à la fin du printemps 79, cinq ans tout juste après l'élection de Loubard de Mirobol, on se serait cru revenu vingt et trente ans en arrière, quand les femmes faisaient des enfants à la va-comme-je-te-pousse, quand, une fois enceintes, elles n'essayaient pas de se délivrer de leur fruit ; quand enfin le Général, ayant libéré la France et l'Europe, encourageait publiquement la natalité.

Qu'on nous permette d'ouvrir ici une parenthèse

sans rapport apparent avec notre sujet. Sans qu'on puisse fournir de ce phénomène une explication rationnelle, un nombre considérable de femmes jeunes, modernes, et d'abord les cadresses, se mirent à fréquenter les églises. S'amorça aussi un retournement de la courbe des vocations religieuses et sacerdotales dont l'état, dans les années 70, donnait de si grandes inquiétudes : une paroisse sur cinq seulement, dans les campagnes, disposait en permanence d'un curé ; encore était-ce souvent un de ces nouveaux prêtres aux idées tellement avancées que leurs ouailles ne pouvaient les suivre.

Tout se passa comme si le redressement moral qui accompagnait le retour des femmes à la mentalité traditionnelle, qui est de leur nature, ne formait que la partie visible, spectaculaire, d'un mouvement beaucoup plus profond, affectant l'âme même de notre peuple. Au miracle de la renaissance démographique s'ajouta un miracle tout court. Qu'on ne s'étonne pas si on enregistra à ce moment-là la première baisse sérieuse depuis vingt ans de la criminalité. On avait tout essayé pour provoquer le déclin de ce mal social ; qu'il se guérît de lui-même ne surprit que les aveugles.

Les femmes firent donc plus d'enfants, et elles furent de plus en plus nombreuses à procréer. On dut abaisser l'âge nubile des filles à quatorze ans. On bénéficia par ailleurs d'un effet secondaire de la pilule ; on sait que l'interruption des œstrogènes de synthèse, pendant un mois ou deux, augmente la capacité conceptionnelle : en conséquence les jumeaux et les triplés se multiplièrent. A la fin de 1979, la courbe des naissances battit son record absolu depuis un siècle. Six mois après, la France, qui comptait 52 millions d'âmes en 1974, harkis y compris, en pesait 57 millions. Une simple projection arithmétique indiquait qu'à ce rythme elle dépasserait les 65 millions en 1980 – ce qui fut le cas, comme on sait. Aujourd'hui, en l'an de grâce 1999, il y a en France près de 110 millions de Français et nous serons dans les 130 millions en l'an 2010, le double cinquante ans après.

La presse publia ces statistiques et leurs projections. Pendant des mois, début 80, il n'y fut question que de ces chiffres et de leurs perspectives. A la télé, à la radio, dans les journaux, mais aussi dans les conversations privées, au restaurant, sur la plage, à la montagne. La causerie au coin du feu du Président, dans la première semaine de juillet, signal traditionnel du départ en vacances, fut suivie par plus de quarante millions de téléspectateurs, autre record absolu. Bien qu'elle figure dans les manuels d'histoire, rappelons-en les grandes lignes.

– Françaises, commença Loubard, Françaises, je veux ce soir de printemps regarder chacune d'entre vous au fond des yeux et lui dire : merci, madame ; merci, mademoiselle.

L'émotion l'étreignait, à tel point que cet homme qui avait pris des cours de diction et s'exprimait mieux qu'un acteur du Français prononçait les *m* comme des *b* et zézayait les sifflantes. Il s'arrêta un long moment après son exorde, ses yeux cherchant, au-delà de l'écran, les yeux des Françaises pour s'y plonger. Il s'arrêta comme s'il voulait que les millions et les millions de citoyennes à qui il venait de s'adresser personnellement eussent le loisir de mesurer la grandeur et l'intensité de l'amour, de la reconnaissance qu'elles lui inspiraient et qu'elles inspiraient, à travers sa personne, à la nation tout entière.

Il brossa alors le tableau de l'avenir français : pour peu que nous poursuivions notre remontée démographique, nous cesserions prochainement d'être le petit promontoire occidental de l'Europe ; qu'on regarde vers l'est, qu'on regarde vers le sud, le rééquilibrage aura les meilleurs effets.

Sur un tableau noir installé dans un angle de son cabinet, il dessina rapidement une carte de l'Europe et du pourtour méditerranéen. Il inscrivit des chiffres, qu'il savait par cœur, et on admira qu'il fût enfin à son aise dans la mathématique : nous allions dépasser l'Allemagne, l'Angleterre, l'Italie, pays dont la natalité continuait de baisser et dont la population refusait de se reproduire comme il convenait, faute de Grand Dessein. (On comprit alors seulement ce que signifiait ce mot de Grand Dessein, que certains hommes politiques employaient d'une manière assez mystérieuse.) Qui mieux était, nous avions rattrapé, voire dépassé, les taux d'expansion démographique des pays bordant « Mare Nostrum » au sud : Tunisie, Algérie, Maroc.

Le lendemain, toute la presse salua avec enthousiasme cette réintroduction du *Mare Nostrum* – notre mer – dans le langage politique de la France ; il en avait disparu depuis les accords d'Évian, en 1962. Certains nostalgiques de l'Afrique du Nord française y virent une obscure promesse et se reprirent à espérer.

Loubard évoqua, sans insistance, sans affectation, mais ce soir-là les plus subtiles litotes franchissaient les fronts les plus obtus, le siècle de Louis XIV. La puissance, le renom, la gloire de la France d'alors, c'était à sa nombreuse population qu'elle les devait. Il n'est de

72

Grandeur que du Peuple, dit-il simplement, et ce mot fit fortune, arrachant des cris d'admiration aux chefs de l'opposition elle-même ! Il rappela la situation déplorable où s'était trouvée la France, de la défaite de juin 40 à ces dernières années : sa faiblesse numérique, son vieillissement lui avaient valu toutes sortes d'humiliations, dont la tutelle américaine et la perte de l'empire n'avaient pas été les moindres. Ces temps étaient en passe de s'abolir, la France prenait un nouveau départ.

Et, comme à l'ordinaire, mais ce soir-là la cérémonie prit une dimension nouvelle, la fin de son allocution s'enchaîna sur le *Chant du Départ,* que des millions de Français et de Françaises entonnèrent debout face à leur petit écran, qui dans leurs salons, qui dans leur humble cuisine.

Les sondages effectués dans la semaine qui suivit le discours télévisé de Loubard de Mirobol lui donnèrent une cote de popularité jamais atteinte. A la question « Êtes-vous satisfait de l'action du président de la République » on obtint les réponses suivantes :

- Très satisfaits .... 64 %.
- Satisfaits .... 22 %.
- Mécontents .... 5 %.
- Ne se prononcent pas ...... 9 %.

A la question « Partagez-vous les espoirs du président de la République concernant l'avenir de la France ? » on obtint les réponses suivantes :

- Partagent .... 67 %.
- Ne partagent pas .... 14 %.
- Indécis .... 19 %.

Le Président et sa famille se rendirent en vacances cet été-là dans leur propriété du Limousin, qu'ils avaient récemment acquise, ce qui leur faisait maintenant huit châteaux et six mille hectares de pâture. D'ordinaire ils passaient leurs congés sur la Côte d'Azur : hors-rebord, pêche sous-marine, longues soirées de canasta à un centime le point. Bien qu'aucune source officielle n'eût à proprement parler confirmé la nouvelle, on apprit que la raison de ces vacances particulièrement reposantes et sages tenait à la vie privée : la femme du Président attendait un heureux événement.

Notons pour la petite histoire, à propos de l'accroissement de la famille présidentielle, qu'il donna lieu dans les appartements privés de l'Élysée à une scène touchante ; en apprenant de la bouche de son épouse, un beau matin, le retard qui annonçait sans aucun doute la grossesse, Loubard sortit son calepin, compta les mois : l'accouchement aurait lieu environ la mi-mars 81. Une grimace traversa ses traits ordinairement décrispés : c'était à trois mois du scrutin présidentiel, c'est-à-dire de sa réélection ou non, puisqu'il se représenterait pour un deuxième mandat. Trois mois avant, c'était pour lui trois mois trop tôt : il eût aimé que le nouveau-né arrivât à quelques jours seulement du scrutin. Son modèle, l'homme d'État qu'il avait admiré le plus, John Kennedy lui-même, n'avait pas réussi cette admirable manœuvre, la mort l'ayant fauché avant l'heure. Il s'en voulait aussi d'avoir manqué de précision dans ses calculs au moment de la conception, mais on n'est jamais le maître de ces choses.

Sa femme lui représenta que l'essentiel était de bien faire cet enfant et qu'à tout prendre une apparition à la télé du Président tenant dans ses bras son bébé de trois mois parlerait au moins autant au peuple que la vue d'un mourrisson fripé et vagissant. Sans compter que le baptême à Notre-Dame, cérémonie qu'on embellirait par une bénédiction spéciale du Saint-Père, offrirait une grande occasion de reportages, de photos, de télés en tous genres.

– Vous êtes ma providence, dit Loubard, rasséréné.

– Vous êtes mon lion superbe et généreux, lui répondit-elle en essuyant une larme et bonheur.

CHAPITRE V

France-Soir du 15 octobre 1975 ouvre sa dernière page avec ce titre, sur trois colonnes : « Son film osé, osé, diffusé sur FR 3. Avec *Love,* Ken Russel a secoué le cinéma. »

Ce film, selon le journal, révolutionna le septième art en 1970 : « C'était la première fois qu'on voyait au cinéma un homme nu en étreindre un autre. » Mais, non moindre événement : c'est la première fois qu'on allait voir une quéquette entièrement dévoilée sur un écran de la télé française.

Ce jour-là, jeudi 16 octobre 1975, marque une date importante dans l'opération « France-Bébés » : c'est le début de l'extension à la télévision, et donc à l'ensemble de la nation française, grands et petits, villes et villages, de la campagne pornographique qui avait été jusque-là circonscrite au cinéma proprement dit. Avant le 15 octobre 1975 il fallait, pour voir un spectacle porno, sortir de chez soi, payer son billet, s'installer dans une salle obscure, au risque d'être reconnu par des voisins. Après le 15 octobre 75, le porno entra à domicile, ouvertement, publiquement, avec l'approbation, la bénédiction même de l'État. Et l'État, ce n'est pas rien pour les Français, à qui il tient lieu de père, de mère et de Providence. Qu'est-ce que l'État ? Tout. Que veut-il être :

encore plus. Quelques semaines auparavant, l'ambassadeur de France auprès du Saint-Siège avait demandé audience au cardinal Buretti, à qui on prédisait la plus haute destinée dans l'Église et qui remplaçait le pape très fatigué et presque aveugle, dans la gestion des affaires réservées. L'ambassadeur avait à remettre au second et bientôt premier personnage du Vatican un message secret, sous enveloppe cachetée (Son Excellence en ignorait elle-même la teneur), théoriquement destiné aux yeux du seul Saint-Père.

Ce message annonçait au pape qu'à dater du début septembre 1975 la télévision française commencerait à diffuser des films contraires aux bonnes mœurs. On débuterait par des projections relativement anodines, sur la troisième chaîne, de moindre audience, pour augmenter ensuite progressivement la dose. Buretti, sans décacheter le message en présence de l'ambassadeur, qui conçut quelque aigreur de ce manque de confiance mais se garda de le montrer, s'attendait à cette communication. Elle sortait tout droit des minutes de l'audience que le Saint-Père, encore valide, avait accordée un an et un mois auparavant au ministre français des Affaires étrangères, Azaïs de Vergeron, qui venait de prendre son poste et qui avait tenu, en grand catholique qu'il était, à réserver à Sa Sainteté sa première visite hors de France. Le verbatim de l'entretien a été conservé. En voici les principaux passages :

– Je suis chargé par le président de la République, dit le ministre, de faire part à Votre Sainteté d'un projet qui, parce qu'il touche à la morale et aux mœurs, serait de nature, s'il n'était pas compris d'Elle, à L'émouvoir et à troubler la communauté catholique tout entière, à commencer par mes compatriotes pratiquants qui sont,

Dieu merci, très nombreux. La France, Très Saint-Père, s'honore toujours d'être la fille aînée de l'Église.

— Je vous écoute, monsieur le Ministre et cher fils.

— Votre Sainteté n'ignore pas que mon pays connaît depuis près de vingt-cinq ans un drame des plus terribles : la chute constante de la natalité. Du fait des mouvements de population des campagnes vers les villes, du fait de l'emprise sur les esprits de la société de consommation, qui est aussi la société de jouissance, les Françaises et les Français ont diminué et diminuent encore le nombre de leurs enfants...

— Mais, mon fils, coupa le Saint-Père, n'a-t-on pas en France, contre Notre Volonté et contre les enseignements de l'Église, autorisé la contraception ?

— Je vais y venir, Votre Sainteté. Permettez-moi cependant de vous faire remarquer dès à présent que la contraception n'est pas le fait de l'actuel gouvernement, ni du nouveau Président, mais de leurs prédécesseurs. Si cette évolution devait se poursuivre, nous avons calculé qu'en 1990 la France aurait moins de 50 millions d'âmes, dont la moitié dépassant soixante années. La décrépitude, Très Saint-Père, la décrépitude. Le Président a décidé de réagir. Après s'être entouré de conseils, il a mis au point un plan de nature, pense-t-il, à rétablir la natalité dans une évolution positive, de sorte qu'en l'an 2000 la France dispose de quelque 110 millions de citoyennes et de citoyens, dont la moitié au-dessous de trente ans.

— Comment le pape ne bénirait-il pas un si noble effort ? Comment n'appellerait-il pas de ses vœux une telle résurrection de la fille aînée de l'Église ? soupira Paul VI.

— Certes, Très Saint-Père, mais j'en viens à l'objet

même de ma communication. Le plan de mon gouvernement comporte de nombreux volets. Celui que je dois présenter à Votre Sainteté touche aux mœurs proprement dites et à la morale. Les conseils du gouvernement sont tombés d'accord pour représenter au Président qu'une des raisons, non la moindre, de la baisse numérique de la famille française c'était la diminution, imputable aux fatigues provoquées par les harcèlements de la vie moderne, de la fréquence des rapports conjugaux, et leur inachèvement. Ajoutée à l'usage des contraceptifs, cette diminution engendre évidemment une moindre fécondation des épouses. *Inde irae,* Très Saint-Père. D'où nos soucis.

— Mais encore ? demanda le pape.

— Mon gouvernement a donc imaginé, Très Saint-Père, parmi de nombreuses autres démarches, des mesures propres à inciter nos concitoyennes et nos concitoyens à augmenter la fréquence des rapports conjugaux et même, la noblesse du but justifiant sinon effaçant l'illégitimité de la chose, des rapports hors les sacrés liens du mariage. Il nous a semblé qu'à cet égard la diffusion dans le grand public de spectacles pornographiques, immoraux certes, serait de nature à favoriser le retour des Français à une fréquentation plus assidue de leurs conjoints et, par le fait, à une meilleure exécution de l'ordre de Dieu : croissez et multipliez-vous.

Sa Sainteté tressaillit, cacha son visage dans ses mains. Quand Elle les en retira, Elle était encore plus pâle qu'à l'accoutumée. Elle garda le silence de longues minutes, puis, fixant son interlocuteur dans les yeux, lui demanda d'une voix à peine audible, un souffle :

— *Quousque tandem, fili mi ?*

Le noble vieillard en avait oublié le français. Il se

reprit, cependant, et le ministre nota ici, non sans admiration, la surprenante vitalité d'un homme qui allait sur ses quatre-vingts ans, qui travaillait encore jusqu'à dix-huit heures par jour, se nourrissait d'un œuf coque à son déjeuner, d'une pomme ou d'une orange sicilienne saupoudrée d'un peu de sucre à son dîner, et ne manquait pas un jeûne.

— L'Église ne saurait approuver de telles mesures, dit-il, bien que leur finalité soit sans contredit possible intrinsèquement bonne. Mais la fin ne justifie pas les moyens, surtout quand ceux-ci s'éloignent à ce point de la morale. Cependant, mon fils, en dehors même de ces considérations, il nous vient à l'esprit une question : comment la campagne d'incitation à l'acte conjugal pourrait-elle porter de bons fruits dans un pays où les moyens anticonceptionnels sont offerts à tous, à commencer par le plus efficace et le plus facile, la maudite pilule ?

— Très Saint-Père, répondit Azaïs de Vergeron, je prends acte de la condamnation que vous prononcez, tout en notant la restriction implicite qu'elle contient, et que je vois dans votre question. Est-ce à dire que, si Votre Sainteté était assurée du bon succès du plan de mon gouvernement, elle accepterait, tout en ne cédant en rien sur le dogme et la tradition, ce qu'à Dieu ne plaise, de différer la publication de sa condamnation, de façon à permettre à la France de tenter cette remontée démographique que Votre Sainteté est la première à souhaiter ?

— J'aimerais, mon fils, que vous répondiez d'abord à ma question.

— J'y arrive, Très Saint-Père, mais permettez-moi de vous faire part auparavant de la réflexion suivante :

en 1925, l'ambassadeur de France auprès du Saint-Siège fit une démarche présentant certaine analogie avec celle que je fais aujourd'hui. Il s'agit de l'affaire connue au quai d'Orsay sous le nom de la « maîtresse légitime ». Votre Sainteté, dont le sacerdoce s'exerçait en ce temps-là sur le plan pastoral, n'a peut-être pas eu connaissance de cette délicate négociation. Le gouvernement de la République s'émouvait à bon droit de la catastrophe démographique qu'entraînaient la mort de près de deux millions de jeunes hommes de France dans les tranchées et la mutilation de deux autres millions. Autant de foyers qui ne seraient pas fondés ; à deux enfants un quart par famille, la moyenne d'alors, le manque à peupler de la France était considérable, sans omettre l'état de déréliction physique et morale auquel étaient vouées plusieurs milliers de chrétiennes. Des conseillers du gouvernement s'avisèrent que, moyennant quelques ajustements juridiques, on pourrait permettre – pour une période transitoire, s'entend – à des hommes présentant toutes garanties du point de vue moral et civique de prendre une seconde épouse. Celle-ci aurait eu tous les droits d'une conjointe ordinaire au titre près : d'où ce nom de « maîtresse légitime » qui fut proposé. Sa Sainteté d'alors, interrogée par le gouvernement de la République, y mit formellement son veto, et en des termes si pressants, si menaçants même par les conséquences qu'ils laissaient deviner pour l'ordre public en France, que nous y renonçâmes, la mort dans l'âme. La France perdit ainsi, au bas mot, dix millions d'enfants. Sur ces dix millions d'enfants, dix millions de chrétiens baptisés et catholiques, n'est-ce pas, Très Saint-Père, nous eussions compté environ cinq millions de mâles ; et, sur ces cinq millions, près de la moitié eût été en

82

âge de porter les armes en 1939. Est-il utile de poursuivre, est-il besoin de dire que le sort du monde, et de la chrétienté, en eût été changé ? L'échec de la démarche que fit mon prédécesseur auprès du Saint-Siège ne doit-il pas donner à réfléchir, nous éclairer sur la situation à laquelle nous sommes aujourd'hui confrontés ?

— Mon fils, dit le Saint-Père, bouleversé, j'ignorais tout de cette affaire. Je vais me faire apporter le dossier. La maîtresse légitime, dites-vous ? Certes, je comprends la réaction de mon prédécesseur...

— En ce qui concerne la question que vous m'avez posée, Très Saint-Père, reprit le ministre, je vais formuler deux réponses. Tout d'abord, pour les spectacles pornographiques, il est à noter qu'ils seront progressivement agencés de manière à imprimer dans l'esprit de nos compatriotes les images de méthodes, de techniques, de positions — que Votre Sainteté me passe le mot — ayant toutes en commun une bonne fin du rapport conjugal, c'est-à-dire la fécondation. Cela prendra plusieurs mois, mais cela sera, nous en prenons l'engagement. Deuxièmement, en ce qui regarde la pilule, je suis en mesure de confier à Votre Sainteté, sous le sceau du secret, il va de soi, que des manipulations judicieuses la rendront inefficace selon un pourcentage utile. Les conseillers scientifiques de mon gouvernement ont fait en sorte que la fiabilité de ladite pilule soit exactement la même que celle de la méthode Ogino, que l'Église veut bien préconiser.

— Voilà qui me semble très bon, mon fils, dit le Saint-Père.

— Très Saint-Père, ce mot de Votre Sainteté nous est un précieux encouragement, dit le ministre en s'inclinant. Telle est, ajouta-t-il après un silence, l'économie du plan de M. le Président de la République française.

Le pape se leva, l'audience était terminée ; mais le ministre, sans en avoir la certitude absolue, comprit que le chef de l'Église, après une longue réflexion, ne ferait rien qui viendrait à la traverse des intentions françaises ; et il fait état de cette conviction intime dans le dernier paragraphe de son aide-mémoire au Président, sans oublier de recommander qu'on ait soin de se montrer attentif, dans les semaines à venir, aux requêtes particulières que présentera certainement Mgr le Nonce à Paris.

Au cours de son entretien avec le pape, Vergeron avait un peu forcé la note, en cela que si le plan avait l'appui du président de la République, qui en était du reste le premier mandant mais non l'initiateur, il en allait autrement du gouvernement. En fait, trois ministres seulement, Clapouard, Pénibilis et lui-même, Vergeron, faisaient partie de la conjuration, ainsi qu'une demi-douzaine de très hauts fonctionnaires. Le reste du cabinet restait dans l'ignorance : il lui revenait d'exécuter le plan sans saisir que telle ou telle mesure qu'on lui faisait appliquer contribuerait à la réalisation d'un objectif dont il ignorait tout.

Azaïs de Vergeron tenait le portefeuille des Affaires étrangères à la suite de circonstances qu'il est aujourd'hui, près de vingt ans après, permis de dévoiler. On se souvient surtout de cette petite brosse à dents informe et qui eût perdu son manche qu'il portait sous le nez, dont certains disaient qu'elle recelait toute sa personnalité, et à quoi il tenait tant que, des journaux ayant écrit qu'il avait une moustache ridicule, il répondit par voie de communiqué à la presse qu'ayant là-dessus consulté sa famille et son entourage ils lui avaient conseillé de garder envers et contre tous ce peu de poil décoratif. Sa famille comptait parmi les plus nombreuses du pays : onze enfants, dont sept filles. Grande tradition catholique. Les Vergeron prouvaient à huit quartiers dès le xve siècle et la légende voulait que le fondateur du clan, Azaïs Ier, eût tenu le pied de Godefroi de Bouillon lorsqu'il remonta à cheval après sa première halte, à Chardeny, dans les Ardennes, en route pour Jérusalem. C'est au demeurant le visage sévère de cet Azaïs qu'on peut encore voir sur le pilier gauche de ce qui reste du « domus » où naquit Charlemagne, à Attignies, également dans les Ardennes, domus qui tomba dans l'hoir des Vergeron à la fin du xvie siècle. Une telle ancienneté dans le service de l'État, une noblesse si haute expliquent l'indifférence tranquille avec laquelle Vergeron accueillait les quolibets que lui adressaient certaines feuilles satiriques dont l'une, dont le bon goût n'était pas le fort, l'avait baptisé Zaza de la Verge en Rond ! Mais tradition oblige : Vergeron était un européen convaincu, à la condition bien entendu que l'Europe fût marquée de la croix romaine et du sceau français. Son élévation au fauteuil et à la table de Vergennes, une copie, bonne sans doute, mais une copie, plongea maint observateur dans l'étonnement. On le savait bon cavalier, encore qu'il se fût cassé des côtes lors d'une chasse à courre avec un Grand d'Afrique, mais pour ce qui est de la profondeur de vues ou de la finesse politique on émettait des doutes qui s'accentuaient au fur et à mesure qu'on entendait parler de lui ses collègues qui l'avaient beaucoup pratiqué. S'étonnèrent plus encore de sa nomination ceux qui se rappelaient les manœuvres qui eurent lieu au milieu des années 50, à l'occasion des tractations finales du traité communautaire. Un parti de politiques et de diplomates partisans d'une intégration poussée, voulant un peu forcer le ministre en place à aller plus loin qu'il ne le voulait, s'avisa de faire connaître aux négociateurs d'en face, des amis, des partenaires, mais tout de même, la gradation des concessions que le ministre avait retenue. C'était les inciter à placer d'entrée de jeu la barre à une telle hauteur que le ministre fût obligé d'augmenter d'autant ses lâchages. Il fallait trouver, pour faire une telle commission, un diplomate présentant toutes garanties de bonne foi et d'honneur mais assez sot pour ne pas saisir qu'il s'agissait d'une mission pour le moins officieuse et lourde de dangers. Il ne devait y voir que l'importance du rôle à jouer et les prémisses d'un bel avancement. Azaïs de Vergeron fut choisi, s'acquitta fort bien de sa tâche, mais, le coup ayant manqué, paya sa naïveté de douze ans d'exil dans un poste secondaire à l'ambassade de Tizi-Ouzou. C'est là qu'il tomba de cheval. Sa disgrâce menaçait de durer jusqu'à la fin de sa carrière. A chaque fois qu'une bonne âme essayait de plaider en sa faveur, une autre bonne âme ne manquait pas de faire remarquer qu'on devait y regarder à deux fois avant de rappeler d'exil un fonctionnaire qui avait si gravement manqué au devoir de réserve. Il se désespérait et songeait à abandonner la diplomatie pour se consacrer à ses terres quand on l'approcha pour lui demander son adhésion à une association secrète et patriotique, qu'on lui dit calquée sur l'ordre des Chevaliers du Saint-Suaire, dont un de ses ancêtres avait été Grand Tributien. Cette association, que ses affidés appelaient entre eux du nom de code « Le Grand Dessein », n'avait pour objectif que de rétablir la Grandeur de la France au sein d'une Europe qu'elle avait pour mission historique de guider. Moyennant son adhésion, on passerait l'éponge sur ses erreurs de jeunesse et on ferait même en sorte qu'il prît une éclatante revanche. On ne lui demanda pas de s'engager sur l'honneur à garder le secret : on ne demande pas cela à un Vergeron.

L'idée première de l'embaucher dans la conjuration revint à Rahat Loucoum, un des plus importants promoteurs de « France-Bébés ». Il servait alors le président Tripou en qualité de chargé de mission. Tripou l'avait placé auprès de lui sur l'ordre exprès du Général. Grâce à son réseau d'informateurs, il dressa un profil exact de Vergeron et trouva bon de l'utiliser. Tripou lui donna le feu vert sans lui demander d'explications.

En janvier 72, on fit revenir Vergeron à Paris. Six mois après, on le nomma ambassadeur à La Haye. Encore six mois, ce fut l'ambassade de Kensington Gardens, à Londres. On murmura un peu au ministère, mais on craignait Loucoum, dont on savait qu'il s'était institué protecteur de Vergeron.

Son passage de Londres au fauteuil de Vergennes, le lendemain de l'élection à l'Élysée de Loubard de Mirobol, suscita des mouvements divers ; normale selon la tradition monarchique – Talleyrand, Chateaubriand, etc. – cette promotion surprenait tant à cause de la carrière mouvementée de l'impétrant que de l'incapacité professionnelle qu'on lui prêtait. On ignorait évidemment l'essentiel, à savoir qu'il devait ses triomphes récents à son nom, à sa catholicité, à la forte impression que ces deux circonstances devaient faire sur le pape dans les calculs des protecteurs qui l'avaient pris en charge. Calculs exacts : le Saint-Père ne resta pas indifférent au fait que ce fût l'authentique descendant d'une des grandes familles françaises ayant le plus contribué depuis douze siècles à la défense du Trône et de l'Autel qui cautionnât auprès du Saint-Siège les formes inédites, sinon insolites, de l'opération qu'on préparait à Paris.

Que le gouvernement français tînt à la complaisance, pour ne pas dire à la complicité de l'Église tombe sous le sens ; une campagne de l'épiscopat et du clergé, relayée par les infodemasses catholiques, eût tout fait échouer. D'autre part, l'Église ne pouvait, sans perdre la face, rester de marbre à la vue du déferlement de la pornographie. Comment concilier cette indispensable complaisance et la nécessaire condamnation ? Rome se réserva le droit de faire des mises en garde publiques, mais générales, en s'abstenant de désigner des coupables, en évitant surtout de mettre en cause la responsabilité des autorités. Elle s'en tiendrait au plan de la pure doctrine. Ce fut la fameuse « Déclaration sur certaines questions d'éthique sexuelle » de la mi-janvier 1976. Par ailleurs, elle tint à s'assurer par elle-même de l'honnêteté des intentions de Loubard de Mirobol : tout d'abord celui-ci devrait en personne affirmer devant le Saint-Père la pureté des intentions françaises. L'audience accordée par le pape à Loubard de Mirobol, en novembre 75, et qui fut d'une longueur inaccoutumée, n'eut pas d'autre motif. Pour des raisons diplomatiques faciles à comprendre, elle eut lieu à l'occasion d'une conférence européenne au sommet tenue à Rome. Comme on le sait par la presse de l'époque, la Curie s'arrangea pour qu'on apprenne que le Saint-Père avait fait porter l'entretien sur la doctrine de l'Église en matière de natalité. D'autre part, et nonobstant l'excellente impression que Loubard fit sur son auguste interlocuteur, Rome prit ses précautions ; une tractation menée par le nonce et Vergeron aboutit à l'accord suivant : un évêque français désigné par le pape assisterait à toutes les séances d'un comité d'orientation des films et spectacles. Un tel organe n'existait pas, et sa création, qui serait forcément rendue publique, attirerait l'attention des observateurs, ce qu'on ne souhaitait pas. On décida donc qu'il fonctionnerait clandestinement sous le couvert de la Commission de censure.

Avec quelque éclat, cette dernière fut remaniée, ses statuts modifiés. Au nom du libéralisme et du changement sur lesquels il s'était fait élire, Loubard fit savoir que, malgré la suppression pure et simple de la censure, cette commission continuerait à donner ses avis au secrétaire d'État à la Culture, autorité de tutelle. Répondant à l'avance à l'objection : à quoi servira-t-elle si ses avis ne sont pas suivis d'effet, le secrétaire d'État déclara que, *primo,* la libéralisation, qu'il voulait définitive, pourrait cependant être remise en question en cas d'outrances insupportables, et relevant du code pénal, comme l'incitation au meurtre et à certains délits ; *secundo,* et c'était là ce qui lui tenait le plus à cœur, tout à fait dans la ligne de la politique du Président : la commission aurait pour tâche non de censurer, non d'interdire, mais d'aider les réalisateurs, de les conseiller utilement. On cria dans certaine presse que cette aide et ces conseils ressemblaient un peu à une censure qui n'oserait pas dire son nom. Mais le procès d'intention avorta tout seul ; dans les trois mois qui suivirent la réforme de la commission, le film porno déferla dans tous les cinémas de France et de Navarre et les audaces des réalisateurs égalèrent bientôt les pires exhibitions des rues spécialisées de Copenhague. Apparemment, l'aide et les conseils des ex-censeurs n'avaient qu'un impact fort léger.

Il s'agissait de tout autre chose, et l'observateur qui aurait assisté à la réunion que présida Pénibilis dans son propre bureau, le 30 novembre, s'en serait vite rendu compte. Il y avait là, outre le ministre, les cinq membres récemment ajoutés à la commission, le chef de cabinet de Clapouard, le chef de cabinet de Vergeron, l'évêque agréé par Rome et Paris, et la secrétaire d'État à l'Égalité des sexes, seule femme admise dans la conjuration, et qui n'en était pas peu fière.

– Madame, monseigneur, messieurs, commença Pénibilis en s'agitant un peu des reins pour bien carrer sa corpulence dans son fauteuil, cette pièce est absolument protégée contre une écoute proche ou lointaine, nous pouvons donc parler en toute quiétude. Si vous le voulez bien, notre petit groupe se retrouvera ici pour faire le point une fois par trimestre. Nous n'avons aujourd'hui qu'à examiner, et à décider si possible à l'unanimité, l'ordre des interventions que nous voulons effectuer et à en fixer la tactique. Comme vous le savez, le porno est désormais libre. Dans un an nous l'introduirons, discrètement d'abord, sur la troisième chaîne. Nous avions pensé faire coïncider cet événement avec le cinq centième jour suivant l'entrée à l'Élysée du Président, mais, pour des raisons faciles à comprendre, nous n'avons pas voulu donner d'ordre à la direction de la troisième chaîne. Sur notre instigation, secrète bien sûr, un des producteurs a lancé l'idée de projeter le film *Love ;* mais les hésitations, les scrupules, la peur peut-être, de ladite direction ont fait qu'elle a longuement tergiversé, tout en cherchant à obtenir mon feu vert. Quand enfin j'ai accepté d'entendre ce qu'on me demandait, j'ai répondu que M. le Directeur de la troisième chaîne devait prendre lui-même, en conscience, ses responsabilités, mais en des termes tels qu'il pût saisir qu'au fond je n'étais pas contre, loin s'en fallait. Cela dit, nous avons trois semaines de retard sur notre horaire.

— Aucune importance, monsieur le Ministre, dit le délégué de Clapouard.

— Je vous remercie, dit Péni, dont le remerciement, c'était clair, allait à Clapouard avec qui il feignait d'avoir des mots, ce qui faisait le bonheur des échotiers.

Dans cette assemblée ce genre de piques n'avait pas lieu d'être, mais la force de l'habitude...

— Monseigneur, madame, messieurs, reprit Péni, la première intervention ponctuelle que nous avons envisagée consistera, si vous êtes d'accord, à manipuler le plus grand nombre possible de producteurs de films porno de façon que leurs spectacles conviennent au but que nous poursuivons, c'est-à-dire qu'ils incitent leurs spectateurs à des rapports sexuels positifs.

— Très bien, monsieur le Ministre, dit l'évêque, très bien.

— Je donne maintenant la parole à M. le Chef de cabinet du Premier ministre, dit Pénibilis, qui va vous exposer l'économie du projet.

Ce chef de cabinet, un homme relativement jeune et toujours impeccablement mis, s'exprimait à voix basse. Sa promotion à Matignon avait été marquée de circonstances qui firent jaser, et c'est pourquoi on les avait arrangées. Car on voulait, pour camoufler les liens secrets qui unissaient Clapouard et Péni, liens tissés au temps de l'Algérie française, faire accroire qu'ils étaient à couteaux tirés.

Lors de la constitution du gouvernement, Pénibilis avait obtenu de son ami le Président que la direction de l'Ostréiculture fût rattachée à son ministère, ce qui était logique puisqu'il était l'élu d'une circonscription de la Vendée-Maritime. Jusqu'alors, cette direction dépendait de l'Agriculture, ce qui n'était pas moins cohérent puisque le précédent titulaire de ce portefeuille présidait le conseil général de la Loire-Atlantique, département qui produit aussi des huîtres. Mais du passage de l'un à l'autre il s'était produit un événement imprévisible, fût-ce par le plus subtil observateur : le directeur de l'Ostréiculture était l'ennemi personnel d'un préfet membre du cabinet de Péni, et ce préfet avait demandé à son ministre la tête de l'autre. Le directeur en question avait donc été remis à la disposition de son administration d'origine, l'inspection des Ports, où il était entré au lendemain de la guerre d'Algérie qu'il avait faite comme officier, jusques et y compris dans les rangs de l'Organisation secrète. On ignorait que Péni et lui avaient alors milité ensemble, l'un en armes, l'autre dans le renseignement, pour le maintien dans la République de notre belle province d'outre-Méditerranée. On ignorait aussi que Clapouard... Toujours est-il que ce dernier joua publiquement un tour à Pénibilis, qu'il jalousait, colportait-on, pour son amitié exclusive avec le Président, en allant repêcher le limogé pour en faire son chef de cabinet. *Le Canard enchaîné* raconta par le menu toute cette aventure rocambolesque sans jamais en percer le véritable ressort ; plusieurs autres journaux *(le Figaro, l'Aurore, le Quotidien de Paris)* reprirent l'antienne en sourdine quand ils eurent obtenu de personnages bien placés la confirmation – ne citez surtout pas mon nom, cher ami – de ces bisbilles.

– Messieurs, dit le chef de cabinet, ex-ostréiculteur, le projet que nous allons étudier s'articule en deux plans. Tout d'abord inciter les bonnes volontés par concertation ; ensuite sanctionner les récalcitrants par taxation. Comme vous le savez, il est d'usage de tracer une ligne de démarcation entre érotisme et pornographie, celle-ci manquant de je ne sais quels attraits esthétiques, de je ne sais quels caractères artistiques que présenterait celui-là. Passons. A cette démarcation vulgaire substituons-en une autre : nous établissons une différence dans la finalité de ces films et spectacles. Certes les uns et les autres comportent des scènes, des séquences représentant les diverses phases des préparatifs à l'accouplement des êtres humains. Mais, outre que certains portent sur des activités sexuelles contre nature, d'autres s'abstiennent de montrer l'accouplement normal luimême, entre homme et femme, ou le montrent se terminant... ailleurs. Ce que nous voulons, ce sont des films qui, après avoir fait défiler ou non sur l'écran toutes les fantaisies possibles et imaginables, aboutissent à la terminaison de l'acte dans les circonstances physiques les plus propres à la procréation.

– *In vaso recto,* dans le réceptacle approprié, dit l'évêque. Très bien.

– *In vasum rectum,* monseigneur, dit Pénibilis doucement.

– Comment cela, monsieur le Ministre ? demanda l'évêque.

– Parce qu'il y a mouvement et qu'en latin le mouvement gouverne l'accusatif. Or *in vaso recto* implique l'immobilité.

– Qu'entendez-vous précisément par mouvement ? demanda l'évêque, l'air assez surpris.

— Mais le va-et-vient, monseigneur, dit le ministre. Cela n'est point obligé, mais cela est fréquent et, du point de vue qui nous intéresse, il est préférable que l'émission ait lieu en bout de parcours et si possible après une agitation assez violente. Plus nous irons en profondeur...

— J'entends bien, reprit l'évêque avec un fin sourire, et j'admets volontiers qu'il y a mouvement, mais mouvement dans un même lieu. Or on ne doit mettre l'accusatif que s'il y a changement de lieu. Donc *in vaso recto*.

— Je ne vous suis pas, monseigneur, repartit Pénibilis, qui, devant ses subordonnés, ne voulait pas s'avouer vaincu sur le latin. Je ne vous suis pas, car il advient que, dans le feu de l'action — je veux dire de l'*actus carnis,* l'acte de chair — il y ait sortie et rentrée, c'est-à-dire changement de lieu, puisqu'on passe du dedans dans le dehors et vice versa. Donc *in vasum rectum.*

— Si vous me permettez, dit la secrétaire d'État à l'Égalité des sexes, je crois qu'il serait préférable, dans les instructions données aux réalisateurs de films, de ne pas citer ces mots latins, que ce soit *recto* ou *rectum :* ils pourraient prêter à confusion.

— Vous avez tout à fait raison, madame et chère amie, dit Pénibilis en s'inclinant, ce qui fit craquer son fauteuil.

Ces messieurs étudièrent alors le fondement légal de la taxation de la pornographie récalcitrante. En tout état de cause, les taxes spéciales ne seraient pas décrétées avant la fin de 1975 : par souci démocratique, on susciterait d'abord, pour les mieux faire passer, quelques mouvements de protestation.

94

CHAPITRE VI

L'action France-Porno commença à peu près comme Pénibilis l'avait annoncé. Le 8 octobre 1975, le Président déclara devant le Conseil des ministres réuni à l'Élysée que la porno exagérait et qu'il fallait d'une manière ou l'autre lui rogner les ailes. Sans qu'il fût question de rétablir la censure, il souhaitait que s'établît une concertation entre les autorités publiques et la profession cinématographique. Une semaine après, dans une lettre adressée à un de ses ministres, Molleton, dont le nom ne dit sans doute rien aux Français d'aujourd'hui, Loubard précisa ses intentions : la concertation aurait pour objet de limiter les débordements de la pornographie, par exemple d'empêcher les représentations d'actes sexuels contre nature ou entourés de violences insoutenables.

La double intervention du Président, en Conseil et dans sa lettre, donna le coup d'envoi ; dans les jours ;suivants, le gouvernement passa aux actes. Il prit une série de mesures qu'il suffira d'énumérer pour qu'on en voie le sens. Il est plutôt étonnant, remarque faite en passant, que ni la presse ni les observateurs de l'époque n'aient noté à quel point il s'agissait d'une opération politique concertée.

Molleton, cité plus haut, était ministre du Travail

en même temps que député-maire de Saint-Glandin. Sa lettre à Loubard, bien évidemment écrite à l'instigation du Président lui-même, s'appuyait sur des protestations émanant d'électeurs de sa circonscription. La manœuvre consistant à montrer que l'action du pouvoir répondait au vœu des classes laborieuses. Qui, mieux que le ministre du Travail, lui-même ancien garçon coiffeur, élu et administrateur d'une grande cité ouvrière, aurait été qualifié pour le conduire ?

Relevons les dates : la protestation auprès de Molleton des pudibonds Saint-Glandinais est du 6 octobre. La communication de Loubard au Conseil des ministres est du 8 ; la lettre du ministre du Travail est du 12 ; la réponse que lui fait le Président est du 14. Le mercredi 15, le *Bulletin officiel* de l'Éducation nationale publie une décision du ministre concernant la situation des filles enceintes fréquentant les établissements scolaires de tous les degrés. Jusqu'alors on les en chassait, purement et simplement, si ce n'est ignominieusement. Plus question, ordonne le ministre : « De telles situations peuvent motiver ni une exclusion ni un refus d'inscription. »

Le jeudi 16 octobre, un autre ministre entre en lice, celui de la Santé. Il interdit la publicité pour la contraception à la télévision : « Cela risquerait, fait-il dire dans les journaux, de choquer les convictions d'une partie du public qui refuse encore, au nom de ses croyances, la régulation des naissances. »

Le dimanche ensuivant, le cardinal archevêque de Paris fait état en chaire de la décision du ministre et s'en félicite. Le surlendemain, le comte della Birotta, éditorialiste de l'*Osservatore Romano,* se fait l'écho de la satisfaction des milieux de la Curie.

Le vendredi 17, c'est au tour du secrétaire d'État

à la Culture, qui déclare devant la commission des Finances du Sénat :

– La vague de pornographie est en train de diminuer.

Il ne prend pas ses désirs pour des réalités, il sait de quoi il parle : la veille il a reçu de Loubard les directives concernant la concertation entre le gouvernement et les producteurs cinématographiques, directives issues du Comité d'orientation placé sous la tutelle du ministre de l'Intérieur. Le dernier paragraphe de la note présidentielle ramasse l'essentiel des recommandations du Comité :

« Il importe qu'il se dégage de ces films une grande impression de vitalité ; que les spectateurs en ressortent amoureux de la vie et de la manière dont elle se transmet. On veillera particulièrement à ce que la gradation des plaisirs et des jouissances éprouvés par les acteurs corresponde à l'escalade des figures, de façon que ces plaisirs et jouissances paraissent s'intensifier au fur et à mesure qu'on approche du coït proprement dit, trouvant leur sommet dans un double orgasme provoqué par l'éjaculation spermatique au fond du conduit vaginal. Il sera également bon, conformément au vœu des experts, qu'une quantité non négligeable des coïts, en aucun cas inférieure à 50 %, prenne la forme dite du festin de l'araignée, de la levrette ou du missionnaire aérien, ces configurations étant de nature à faciliter, au dire des experts, l'introduction profonde du liquide séminal. »

Au-dessus de sa signature, et parce qu'il aimait mettre un grain de fantaisie et d'humour dans ses activités les plus graves, surtout lorsqu'il correspondait avec un de ses amis personnels, comme l'était le secrétaire d'État à la Culture, le Président ajoyta ces mots de sa main : « Jusqu'à la garde, ami. »

Une copie de cette lettre fut expédiée par courrier exprès à Rome, où elle fut remise en mains propres au souverain pontife. Ce dernier, déjà averti des recommandations du Comité par l'évêque qu'il y avait député, constata avec joie la loyauté du gouvernement français et ne manqua pas de la saluer discrètement quelques semaines après dans l'homélie qu'il prononça lors de la cérémonie de canonisation de Mgr de Mazenod, ancien évêque de Marseille et fondateur des Oblats de Marie-Immaculée.

Notre ambassadeur auprès du Vatican, personnage dont on disait qu'il était versé dans les finesses de la théologie et du droit canon autant qu'avaient pu l'être Paul Claudel et Jacques Maritain, ce qui n'était pas rien, attira l'attention de son ministre, Azaïs de Vergeron, sur la portée du geste pontifical :

— Je suis en mesure d'affirmer que Sa Sainteté n'a pas choisi au hasard la célébration de Mgr de Mazenod, qui a tant contribué à l'instauration du culte de l'Immaculée Conception, pour rendre hommage aux efforts du gouvernement français dans le domaine de la natalité. Sa Sainteté a ainsi voulu, me dit-on dans son entourage, marquer au gouvernement de la République qu'il bénit son entreprise même si, pour des raisons bien connues, l'Église ne peut pas en approuver certains aspects.

Autre événement significatif, bien qu'aucun historien n'ait su le remettre dans sa juste perspective : la lettre de Loubard de Mirobol au secrétaire d'État est datée du mercredi 15 octobre ; ce jour-là, le Président, en visite officielle chez les Soviets, passe sa journée à inspecter le champ de bataille de Borodino où la Grande Armée bascula les Russes et s'ouvrit le chemin de Moscou. Loubard s'est fait accompagner des descendants des généraux et des maréchaux de Napoléon. La Grande Armée ! Celle d'une France qui à elle seule possédait plus de populations que l'Angleterre, l'Autriche et la Prusse réunies, qui avait assez d'hommes pour occuper l'Europe de Gibraltar à Kœnigsberg, de Naples à Flensburg, et pouvait en outre en jeter trois cent mille aux trousses du tsar de toutes les Russies.

Enfin, le lundi suivant 20 octobre, les radios et les télés, avec un ensemble parfait, lancent la Grande Quinzaine « J'attends un enfant », qui s'accompagne d'un concours national doté de nombreux prix. Ainsi, en douze jours, du 8 octobre, date de la création, par Loubard lui-même, de la pornographie constructive, à l'exaltation de la grossesse, du 20 octobre, assiste-t-on au démarrage officiel de France-Bébés.

Les amateurs de la petite Histoire, si nombreux dans notre pays, aimeront peut-être apprendre comment le Président en vint à préconiser la position du Missionnaire Aérien, en plus des deux autres positions recommandées par les experts, le Festin de l'Araignée et la Levrette Ordinaire. Selon le Comité d'orientation présidé par Pénibilis, ces trois postures facilitent au mieux les conjonctions fécondatoires. Ce n'est pas le lieu ici de les décrire minutieusement ; tous les détails se trouvent dans le petit livre rose publié conjointement par le ministère de l'Éducation nationale et le ministère d'État chargé de la Population (la première distribution officielle de ce livre fut faite au lycée de Marmande).

Rappelons pourtant que le Festin de l'Araignée doit son nom à l'enchevêtrement des bras et des jambes des deux conjoints qui se tiennent si inextricablement liés l'un à l'autre qu'ils ne peuvent se déprendre rapidement, ce qui les empêche d'interrompre le coït au moment de l'orgasme. La Levrette Ordinaire reproduit le mode d'accouplement des quadrupèdes, dont le plus élégant est le lévrier avec sa compagne la levrette. Le Comité recommandait, à propos de cette méthode, que les mains du conjoint ne restassent pas inactives : caresses clitoridiennes, passes sur les seins, sur les hanches, morsures à la nuque, etc., de nature à faire aller et venir le bassin de la conjointe et à faciliter ainsi une profonde pénétration. Cette levrette est dite ordinaire pour la distinguer de la levrette à la paresseuse, que le Comité ne recommandait pas, et qui se connaît dans certains milieux sous le nom de Duc d'Aumale.

Or le Missionnaire Aérien n'eût pas été retenu par le Comité Pénibilis sans l'insistance de l'évêque qu'y avait délégué le Saint-Père à qui on voulut, dans cette affaire, marquer une considération spéciale.

En fait, l'évêque ne proposa que le classique Missionnaire, ainsi dénommé parce que les missionnaires catholiques s'efforcèrent, souvent vainement, de l'imposer aux nouveaux chrétiens d'Afrique et d'Asie, trop enclins à s'adonner à des postures païennes. Le Missionnaire est fort simple, d'une chasteté éprouvée, puisqu'il consiste en l'allongement l'un sur l'autre des conjoints, ce qui tempère leurs mouvements. Cette figure a eu les faveurs exclusives de l'Église d'avant l'Aggiornamento parce qu'elle permet les rapports même si les conjoints gardent leur chemise de nuit, celle de la femme étant percée d'un modeste trou à l'endroit ad hoc.

— Monsieur le Ministre, fit l'évêque avec timidité et rougissant quelque peu...

100

– Je vous en prie, dit Pénibilis avec un grand sourire. *Pete non dolet,* monseigneur. Demander ne fait pas mal, traduisit-il aimablement pour les membres du Comité qui n'entendaient pas le latin.

– Monsieur le Ministre, messieurs, est-ce que le Missionnaire... ?

– Monseigneur, dit Péni, je rends hommage à votre sens de la tradition et MM. les membres du Comité se joignent à moi, j'en suis certain. Mais si j'interroge vos propres amis, et je songe notamment au numéro spécial sur l'érotisme que vient de publier la revue *Études,* des pères jésuites, livraison remarquable, tout à fait comparable à leur numéro d'il y a deux ans en faveur de l'avortement, je constate que le Missionnaire est dépassé. On ne le pratique plus guère que dans certaines familles du Finistère, ici et là dans la campagne alsacienne et en pays cathare. Le recommander serait aller à contrecourant des mœurs.

Le bon évêque hochait le chef, comprenant les arguments du ministre, s'attristant de voir sa suggestion écartée et se demandant en même temps quel point il pourrait bien souligner dans son rapport à Rome qui indiquât le zèle et l'attention qu'il avait apportés à sa délicate mission. Pénibilis regarda l'un après l'autre les membres du Comité, cherchant une suggestion qui concilierait l'efficacité avec l'idée fixe de l'évêque.

– Ne pourrait-on pas améliorer le Missionnaire ? demanda le chef de cabinet du ministre des Affaires étrangères.

Ce jeune homme fin avait deviné l'inquiétude du prêtre et compris tout l'intérêt qu'il y avait à l'apaiser.

– Et comment cela ? demanda le ministre.

– Oui, comment ? reprit l'évêque, dans la voix de qui vibrait un espoir.

– Notre propos, dit le jeune diplomate, est, n'est-ce pas, d'assurer le meilleur écoulement à l'endroit le plus profond ? Or ce qu'on reprocherait au Missionnaire, de ce point de vue, c'est son horizontalité.

Manifestement, l'évêque ne le suivait pas. Le chef de cabinet s'approcha de lui et dessina rapidement quelques traits sur une feuille de papier.

– Voyez, monseigneur, reprit-il, c'est le principe de la gouttière. Si nous avons une gouttière presque horizontale, le liquide coulera difficilement vers le point le plus bas. En revanche, si nous inclinons fortement le conduit, le liquide ira vite, et avec force, vers le bas.

– Certes, dit l'évêque, mais quel rapport avec le Missionnaire ?

– J'y viens, dit le diplomate. Si nous conservons les deux conjoints dans leur allongement traditionnel, et que nous glissions sous les reins de la conjointe un petit coussin, nous modifions l'inclinaison de la gouttière. Me suivez-vous ?

L'évêque eut un regard de reconnaissance pour le jeune monsieur du quai d'Orsay. Les assistants crurent un moment qu'il l'allait bénir, mais il s'en abstint. Pénibilis remercia fort gracieusement le chef de cabinet.

– Êtes-vous satisfait, monseigneur ? demanda-t-il.

– Mon Dieu, oui, fit l'évêque, et je pense aussi qu'on le sera en un autre lieu.

– J'en accepte l'augure, dit Péni en s'inclinant avec quelque cérémonie.

Le diplomate, encouragé par la réaction de l'assistance, attira l'attention de l'évêque sur un point particulier.

102

– Ce n'est qu'un détail, dit-il, mais il présente de l'intérêt dans certains cas. Je reprends l'image de la gouttière. Tout le monde voit que plus elle est inclinée, meilleure est la fin. Supposons que nous trouvions, pour l'incliner davantage encore, un moyen plus efficace et plus simple que le coussin, qui ne se trouve pas dans tous les foyers, et bien moins dans la nature si d'aventure... J'entends que nous conservions, il va de soi, l'essentiel du Missionnaire.

– Est-ce possible ? demanda l'évêque, avec un zeste d'incrédulité dans la voix.

– Oui, monseigneur, et par un procédé absolument naturel.

Il reprit une feuille de papier et y traça un dessin représentant la conjointe couchée sur le dos. Mais, au lieu que son bassin fût légèrement relevé pour offrir au conjoint une douce déclivité, il se trouvait presque à la verticale du fait qu'elle faisait porter ses deux jambes, à la hauteur des jarrets, sur les épaules de son partenaire.

– Voyez-vous, monseigneur, de cette façon nous restons incontestablement dans le Missionnaire. Tout ce que nous nous permettons, c'est de le soulever, de le rendre aérien.

– Mais il n'y a plus de coussin ? dit l'évêque.

– Eh non.

– J'aime mieux ça, car, voyez-vous, la manipulation d'un objet, fût-il adéquat, pendant l'œuvre de chair présente un je-ne-sais-quoi de contraire à l'ordre naturel, et vous savez combien nous attachons de prix à ce que la loi naturelle soit respectée dans ce domaine comme dans les autres.

– Nous retenons donc le Missionnaire Aérien, déclara Pénibilis, qui avait l'air très satisfait.

La concertation devait s'accompagner, on l'a vu, de sanctions fiscales contre les pornographes récalcitrants. Sans nous préoccuper des détails, sachons que dès la fin de cette année 75 l'effet des mesures officielles se fit sentir : les trois quarts des films s'alignèrent sur les directives de Pénibilis, directives dont les réalisateurs de films ignorèrent l'origine, comme bien on le pense. Qui plus est, grâce à une judicieuse campagne d'opinion publique, les Françaises et les Français marquèrent de plus en plus leur préférence pour la pornographie constructive. Les feuilles catholiques ou proches de la religion jouèrent là un rôle appréciable, en développant à maintes reprises l'argument de la bonne terminaison, le *vaso recto,* ou *vasum rectum,* du droit canon. Sans doute sont-ce là, écrivirent les éditorialistes de la bonne presse, des spectacles dont il vaudrait mieux s'abstenir ; mais au moins ils comportent un enseignement conforme au droit naturel, puisque l'œuvre de chair y correspond à sa finalité.

Si on consulte les sondages du temps, on découvre que nos compatriotes firent preuve une fois de plus de leur bon sens coutumier : nous aimons beaucoup les films porno, répondirent-ils, alors, qu'ils se terminent comme ci ou qu'ils finissent comme ça, l'essentiel est que pendant deux heures nous en ayons pour notre argent. Dans la deuxième quinzaine du mois de juin suivant – en juin 76, donc – période des bilans de sociétés, on enregistrera la faillite de trente-sept entreprises de porno négative. Personne ne versera de larme sur leurs dépouilles. On ne bronchera pas davantage lorsque leurs directeurs révéleront qu'outre les sanctions fiscales légales dont ils ont été frappés, le ministère des Finances a multiplié à leur encontre toutes sortes de persécutions : amendes pour insalubrité des salles, saisies en douane, etc. On haussera les épaules : quelle considération porter à des gens qui font de l'argent avec la fesse ? Nous parlions de sondages : le dernier numéro d'avril 76 de l'hebdomadaire *Boogie-Woogie,* dont on se souvient peut-être que sa rédactrice en chef était du dernier bien avec le Premier ministre Just Clapouard, publia les résultats d'une enquête d'opinion sur le thème : « Après un an et neuf mois de liberté du cinéma porno, les Françaises et les Français baisent-ils mieux ? »

Les questions, au nombre de quatre, reçurent des réponses extrêmement encourageantes pour l'action des pouvoirs publics.

Première question :

« Depuis octobre 1974, le nombre de vos rapports sexuels a-t-il augmenté ? »

- Oui .... 77 %
- Non .... 9 %
- Sans changement ... 14 %

Deuxième question :

« Depuis octobre 1974, la qualité de vos rapports sexuels s'est-elle améliorée ? »

- Oui .... 69 %
- Non .... 10 %
- Sans changement .. 21 %

Troisième question :

« Depuis octobre 1974, la durée de vos rapports sexuels a-t-elle augmenté ? »

- Oui .... 74 %
- Non .... 10 %
- Sans changement .. 16 %

Quatrième question :

« Existe-t-il, selon vous, une relation entre l'amélioration de votre vie sexuelle et le changement intervenu en France depuis l'élection à la présidence de Loubard de Mirobol ? »

- Oui .... 72 %
- Non .... 9 %
- Ne se prononcent pas 19 %

L'analyse socio-professionnelle des 7 260 sondés fit apparaître que pour une fois les Français avaient une attitude commune devant un problème majeur, nonobstant la différence de leurs situations personnelles et familiales, politiques et religieuses. On trouvait un même pourcentage de OUI aux quatre questions chez les ouvriers métallos et chez les officiers de carrière, chez les employés de banque et chez les pêcheurs de Belle-Ile, chez les catholiques pratiquants et chez les mangeurs de saucisson du Vendredi saint. La disparition, dans un domaine aussi important, de la mentalité « lutte de classes », qui avait marqué la société française depuis la fin du XIXᵉ siècle, fut saluée par le président Loubard qui voulut y voir une des conséquences les plus heureuses et les plus bénéfiques de sa politique. Une telle appréciation suscita une vive réaction de l'opposition. Le chef du parti socialiste, Florentin, qui mariait l'humour et l'invective d'une manière inimitable, répondit à un interviouveur de la télé qui lui demandait son avis sur le sondage et ce qu'en disait Loubard de Mirobol :

— Eh oui, c'est la gauche qui a ouvert la voie à l'amélioration des rapports entre les Français et les Françaises, mais c'est M. de Mirobol qui s'en attribue le mérite. C'est la répétition de la fable du geai se parant des plumes du paon. Mais M. de Mirobol aura beau faire et beau dire, c'est la gauche qui a pris l'initiative, c'est la gauche qui ira plus loin. Oui, si aux prochaines élections législatives le peuple nous accorde sa confiance, nous irons encore plus loin.

L'interviouveur le presse d'expliciter cette dernière remarque. Florentin s'y refuse, accompagnant son refus de son fameux sourire sibyllin, tout en canines. On se perdit en conjectures, ce qui n'empêcha pas le lendemain, dans *l'Aurore,* le sénateur rédacteur en chef de crier à la démagogie.

Côté communiste, *l'Humanité* publia un communiqué du bureau politique dans lequel on lisait qu'en annonçant la fin de la lutte des classes le président de la République prenait ses désirs pour des réalités. Les communistes ne niaient pas, à propos des résultats du sondage, qu'on assistait à une amélioration des relations humaines, mais c'étaient des progrès mineurs, de portée individuelle, non un changement des structures de la société : les rapports de production, l'exploitation de l'homme par l'homme, restaient en l'état. le bureau politique rappela la thèse 112, adoptée à l'unanimité au dernier congrès, qui demandait l'abolition des lois scélérates interdisant les relations sexuelles à l'intérieur des locaux scolaires, y compris ceux de l'enseignement secondaire !

« Le parti communiste français n'a pas attendu Loubard et son soi-disant libéralisme, concluait le B.P., pour impulser l'action des masses populaires en vue d'une véritable liberté des mœurs. »

L'Humanité annonça encore que le parti organisait un grand métingue à la porte de Versailles, à Paris, et en reproduisit l'affiche dans sa dernière page :

Tous jeudi soir
à la Porte de Versailles
avec
PÉCUS
pour la liberté sexuelle

Ce métingue connut un énorme succès. Des centaines de militantes de l'Union des jeunes filles de France s'y dénudèrent la poitrine pendant qu'on chantait *l'Internationale*. Ensuite, elles portèrent Pécus en triomphe. A la sortie du Parc des Expositions, on vendit *le Con d'Irène,* que les Éditions sociales venaient de rééditer avec la permission qu'Aragon venait enfin de donner, après cinquante ans de refus. L'ouvrage était illustré par des miniatures du peintre Fougeron, chef de l'école néo-socialiste.

Ce sondage historique occupa les infodemasses pendant des semaines, mais comme toujours le commentaire le plus fouillé, le plus complet, le plus profond vint du *Nouvel Obs* qui publia une étude-enquête de douze pleines pages, dont un tableau dépliant sur papier millimétré, constellé de petits ronds, de petits triangles, de petits carrés, de petits rectangles, de petits cônes de couleurs différentes. De loin, on croyait voir la reproduction d'un Vasarely qui, pour une fois, eût désappris l'angle droit. Selon leur position et leur coloration, ces figures représentaient des catégories socio-professionnelles dans leur situation par rapport à une quantité variable de facteurs, tels que la fréquence des coïts, les postures préférées, l'orgasme en palier ou en continuum, la vitesse de tumescence et de détumescence, etc. On tenait bien évidemment compte du moment de la journée où avaient lieu ces coïts, de la lumière ambiante, de la position de la lune, des signes astrologiques : aucun facteur essentiel ou mineur, pourvu qu'il fût épistémologique, n'était ignoré. Une lecture profitable de ce tableau requérait de la part des lecteurs un certain usage de la théorie des ensembles. La difficulté n'avait pas échappé à la direction de l'hebdomadaire ; l'enquête s'accompagnait d'un préambule sur l'application des ensembles à la sexualité de masse du à la plume du doyen de la faculté des sciences de Paris, père de douze enfants. Dans une note éditoriale, marquée d'humour et de modestie, le directeur de la publication signalait que c'était la première fois que la sexualité française était traitée à la lumière de cette théorie et il se félicitait de ce que ce fût *le Nouvel Obs* qui se trouvât à l'origine de cette grande première scientifique.

Le surlendemain *le Monde* cita longuement l'éditorial en question tout en rappelant, dans une note en bas de page, que le 16 septembre 1971, soit cinq ans auparavant, son chroniqueur scientifique avait consacré un article à ces problèmes sous le titre « L'Orgasme et les Quanta ».

CHAPITRE VII

Qu'il nous soit permis, avant tout autre développement, de rendre ici hommage au grand Français qui a nom Ludovic Hapié, l'âme du Grand Dessein, l'ingénieur qui amorça la pompe. Que des ennemis de notre pays, fort bien renseignés, soit dit en passant, sur l'importance de son rôle dans notre redressement, aient cherché à le détruire à l'automne 1975 en faisant sauter son domicile, il n'y a là rien de surprenant. Se souvient-on de la sérénité avec laquelle il commenta l'attentat ? Il l'attribua à ceux qui n'acceptaient pas son combat pour la grandeur nationale... Car l'explosif placé contre la porte de son appartement sortait de l'arsenal d'une grande puissance étrangère occidentale ; la police en eut tôt fait la preuve, de même qu'elle remonta la filière jusqu'à assez près de la source. Certes les enquêteurs ne purent aller plus loin et de toute façon leur manquait la clé principale avec laquelle ils eussent pu ouvrir le tiroir secret : le gouvernement qui voulait liquider Hapié avait obtenu par ses services spéciaux des informations lui permettant de conjecturer que l'ancien Premier ministre se trouvait à la tête d'une opération capable, si elle réussissait, de refaire la puissance française ; or cette résurrection n'entrait pas dans les vues de ce gouvernement-là. Bien évidemment, Hapié apprit vite de quoi il retournait par le patron de l'espionnage français, Rahat Loucoum. Hapié sut et se tut ; toute allusion à la vérité eût été dommageable à la conjuration ; il laissa dire et écrire que les auteurs de l'attentat appartenaient à des mouvements autonomistes du Sud ou de l'Ouest : c'était rabaisser singulièrement son image dans le public, tant ces mouvements faisaient peu sérieux. Telle est l'abnégation, non exempte de ruse, de ce patriote hors du commun.

Cet homme qui va maintenant sur ses quatre-vingt-dix ans, et qui vivra, espère-t-on, jusqu'à cent deux ans comme son père, aura marqué son siècle plus qu'un autre, à l'exception peut-être de son maître, le Général. Mais qu'eût-il été sans celui-ci ? Sans lui, eût-il inventé « France-Bébés » ? Reportons-nous par la pensée à ces sombres jours du printemps 1962, il y a trente-sept ans déjà : la France négociait avec la rébellion algérienne les accords d'Évian qui allaient provisoirement couper de la métropole notre plus belle province d'outre-mer. Le Général et son gouvernement avaient pris leur décision : il fallait en finir, plus rien n'était possible tant que le boulet algérien resterait attaché au pied du pays. Cet après-midi-là, Ludovic Hapié mettait au point avec le Général, dans le bureau de celui-ci à l'Élysée, les dernières instructions destinées à la délégation française à Évian. Quand ce fut fini :

— Voilà une mauvaise chose de faite, Hapié, soupira le Général.

— Hélas ! mon Général, dit Hapié.

Il pleurait. Le Général se leva, fit le tour de son bureau, rapprocha un fauteuil de celui où Hapié s'effondrait. Délicatement, il prit la main droite d'Hapié dans les siennes, une main mouillée de larmes, et la tapota.

– Écoutez-moi, Ludovic, dit-il de sa voix grave et bien scandée, écoutez-moi bien.

– Oui, mon Général, dit Hapié, tout heureux dans son malheur que son maître l'appelât pour la première fois par son prénom.

– Je suis un vieil homme recru d'épreuves et détaché des entreprises, Hapié. En ai-je vu, pour la France et les Français ! Mais les Français sont des veaux, Hapié, des veaux qui ne pensent qu'aux vachardises. Oh ! je les comprends : la saignée de 14-18, la chienlit, l'état-major, les deux cents familles, le Front populaire, la guerre, juin 1940, ah ! celui-là...

– Vous parlez de la défaite ou du maréchal, mon Général ?

– Des deux, Hapié, ne m'interrompez pas. Juin 40, l'occupation, Pétain. La France a failli perdre son âme.

Le Général se rapprocha encore d'Hapié, baissa la voix.

– Voyez-vous, Hapié, ce qu'il faudrait à la France, c'est du sang nouveau. La dernière fois que je vis Staline à Moscou, après que nous eûmes signé le traité d'amitié, il me retint cinq minutes dans son bureau, avec son seul interprète, qui fut fusillé le lendemain.

» – Général, me dit-il, je ne suis jamais allé en France et j'en ignore tout, la sainte Russie me suffit. Voyez-vous, ce qui compte dans le monde, ce sont les divisions. A cent divisions, vous êtes une puissance. A deux cents, vous êtes une grande puissance. Vous savez ce qu'il vous reste à faire.

» Eh bien ! Hapié, combien la France pourrait-elle mettre de divisions sur pied, en temps de guerre, aujourd'hui ?

– Quarante, mon Général.

– Eh oui, quarante, Hapié ! Chiffre fatidique, Hapié !

Il se fit un long silence. Le Général réfléchissait. Hapié sentait que l'entretien, loin d'être terminé, allait prendre une nouvelle dimension. D'un bref coup de mouchoir, il s'essuya les yeux et attendit que son maître reprît la parole.

– Hapié, il reste une tâche immense et ça n'est pas moi qui l'entreprendrai, car elle demandera dix, vingt, trente ans, peut-être...

– Mon Général, vous mourrez quand vous voudrez, s'écria Hapié.

– J'essaierai, dit le Général, mais la mort, Hapié, obéit mal. D'ailleurs on ne m'obéit jamais. Il faut doubler la population française, par n'importe quel moyen, d'ici à l'an 2000. Doubler au moins. Tel est le seul Grand Dessein digne de la France. Avec cent millions de Français, Hapié, nous eussions gardé l'Algérie, le Maroc, l'empire. Avec cinquante millions, nous perdrons tout ; il ne nous restera que l'Auvergne, parce que personne n'en voudra.

– Mais comment faire, mon Général ? demanda Hapié.

– Eh bien ! mon cher Ludovic, vous ne savez plus maintenant comment on fait les enfants ?

Hapié sortit songeur de cette entrevue. Il l'eût été à moins. Quelques semaines après, il quittait ses fonctions officielles pour « prendre du champ », et se mettre « en réserve de la République », selon les expressions qu'employa son maître. Les observateurs y virent de la moquerie, crurent que le Général renvoyait son très dévoué serviteur en l'accablant sous les quolibets !

Incroyable légèreté de ceux qui se contentent de regarder les événements à la surface ! Drôle de champ, curieuse réserve : c'était pour travailler dans le calme. et le secret à l'ébauche de ce qui allait devenir « France-Bébés ». Des années de réflexion, de préparatifs minutieux, de mises en place soigneusement camouflées : le plan ne fut prêt dans ses grandes lignes qu'aux environs du premier trimestre 1968. Malgré toutes les précautions prises, il se produisit une fuite qui, Dieu merci ! resta circonscrite au très étroit milieu des services spéciaux ; elle n'en incita pas moins le gouvernement d'une grande puissance occidentale à tenter d'enrayer une opération dont l'objet était de rétablir notre grandeur, d'où le rôle premier des agents et de l'argent de cette puissance dans ces deux formidables tentatives d'assassinat politique du Général que représentèrent les événements de mai-juin 68 et l'attaque contre le franc de novembre de la même année ; il nous faudra y revenir, quelque douleur qu'on ait à évoquer cette triste période de notre Histoire.

Inutile de dire que ces traverses ne découragèrent pas Hapié et les conjurés qu'il avait réunis autour de lui. A la fin de 1968 le plan était établi dans ses moindres détails, avec sa stratégie, l'ordre des manœuvres, le calendrier. Hapié le soumit dans la première quinzaine de janvier au Général, qui le garda pour l'examiner tout à loisir pendant un mois. L'ancien Premier ministre garde dans un coffre secret ce dossier, à la couverture tricolore, sur laquelle l'auguste main a inscrit *Le Grand Dessein.*

La qualité du plan donna-t-elle au Général la certitude de sa réussite ? Put-il, après tant d'années consacrées à la restauration de la grandeur nationale, entrevoir le bout du tunnel ? En un mot, s'accorda-t-il enfin le droit de songer au repos ? Toujours est-il que c'est dans les heures qui suivirent l'audience qu'il donna à Hapié, et au cours de laquelle il embrassa son serviteur sur la bouche, ce qu'il n'avait encore jamais fait, signe inouï de confiance, comparable seulement au baiser par lequel jadis le roi agonisant transmettait le charisme régalien à son héritier, c'est donc quelques heures après que le Général annonça le référendum qu'il présenta en des termes calculés pour en procurer l'échec. Deux mois après il rentrait dans son village. Deux ans après il décidait de mourir.

Mourut-il heureux ? Dieu seul le sait. Sa retraite fut courte ; il ne reçut que de très rares visiteurs. Le seul qui fit régulièrement le voyage de Colombey fut Hapié. On trouva cela bien naturel, puisqu'on croyait qu'il y avait entre eux une sorte d'affection paternelle et filiale. Elle existait, mais, comme on vient de le voir, il s'agissait de tout autre chose, il s'agissait du Grand Dessein. Les historiens, en possession des informations (et des documents y afférents qui verront le jour le 1er janvier de l'an 2000) que nous venons de passer brièvement en revue, s'attacheront peut-être à brosser un portrait nouveau du Général. Ils diront qu'avec « France-Bébés » il voulut continuer à guider le pays après sa mort, le gouverner à titre posthume en quelque sorte. Cela est peut-être vrai. Il leur suffira de regarder autour d'eux, de constater l'enthousiasme qui règne dans notre peuple, les grandes réalisations qu'il a pu accomplir grâce à sa force retrouvée, les reconquêtes réussies de nos provinces et de nos départements d'outre-mer, le respect pour ne pas dire la déférence que nous marquent les pays européens, l'hégémonie intellectuelle que la France exerce désormais dans le monde entier, pour dire aussi que le Général, une fois de plus, avait vu juste, qu'il avait, une fois de plus, la troisième, sauvé la patrie.

Retracer par le menu les travaux qui furent le lot d'Hapié, de l'été 1962 à fin 1968, pour établir son plan, recruter son monde, mettre en place, parfois des années à l'avance, les hauts agents d'exécution, nous demanderait trop de place et exigerait peut-être trop d'attention des lecteurs modernes qui préfèrent l'image au texte. Nous nous astreindrons donc à n'évoquer que les points importants.

Ludovic Hapié s'engagea d'abord dans une méditation qui dura un an. Pendant un an, quel que fût le temps, il marcha dans la campagne et dans la forêt de trois à quatre heures par jour. De temps à autre, il s'arrêtait pour noter une idée sur son calepin. Une fois rentré, il prenait un bain chaud, déjeunait d'une grillade et d'une fillette de chinon rouge et s'enfermait jusqu'à vingt heures dans son bureau, à relire ses notes, fixer sa stratégie. Il l'articula en trois volets : les hommes, les moyens, le calendrier. Il lui apparut très vite que les conjurés devaient être très sûrs et très peu nombreux ; cela impliquait qu'ils eussent à leur disposition des moyens d'action exceptionnels : seul l'appareil d'État pouvait les fournir, à l'exception de certaines interventions délicates. Pour ce qui est du calendrier, il serait réparti en trois périodes : la mise au point de l'opération, la mise en condition de l'opinion, l'action proprement dite.

Hapié avait participé à la résistance aux occupants nazis (1940-1945) à un échelon élevé de responsabilité ; il retrouva tout naturellement, dans sa nouvelle tâche, l'esprit et les méthodes de la clandestinité. Pour entamer le processus, il fallait nécessairement quelque argent : il n'était pas question que le financement apparût de près ou de loin dans le budget de l'État. La moindre ligne de la loi de finances fait l'objet de rapports, de discussions dans les ministères intéressés, à la direction du Budget, du Trésor ; elle est épluchée en Commission des finances de l'Assemblée nationale, bref des douzaines de curieux et de bavards s'en occupent, en attendant que la presse s'y intéresse. Il en serait allé de même avec les fonds spéciaux, qu'ils provinssent de l'Élysée ou de Matignon : on croit communément que le Président et le Premier ministre en ont seuls la disposition : erreur ; ils délèguent toujours ce pouvoir à un de leurs collaborateurs et celui-ci tient un compte précis, et nominal ; le livre est certes détruit à la fin de l'année, mais les risques de fuites existent.

Hapié dut écarter aussi la subvention par le secteur privé, pour les mêmes raisons : un financier ou un industriel n'est jamais si discret qu'il ne se vante, auprès d'un collègue ou d'une petite amie, de sa générosité, quand il ne fait pas une scène dans un cabinet ministériel, parce que malgré ses dons au parti gouvernemental l'administration refuse de lui accorder une faveur. Il dut donc en arriver à la conclusion que l'argent, lui aussi, devait être clandestin ; il fallait le voler et ne pas se faire prendre. On devait recourir à la technique même qui avait fait ses preuves dans la résistance aux Allemands. Aucun homme n'est parfait, le juste lui-même pèche sept fois le jour : Hapié faillit faire capoter, d'entrée de jeu, toute son entreprise par une bourde considérable. Il n'était question en ce temps-là que de spéculations financières, que d'enrichissements rapides dans l'immobilier. Une des astuces couramment employée et qui rapportait gros consistait à obtenir du ministère du Logement une dérogation aux règlements sur la construction. La dérogation, en permettant de construire davantage de surface habitable, de surélever, faisait doubler ou tripler le prix de vente d'avant dérogation. Plusieurs grosses fortunes de l'époque se firent grâce à ce système ; des malins s'avisèrent même de faire l'impasse sur l'achat et la vente du terrain, la construction des immeubles, tout un travail ingrat : ils repéraient un beau terrain à bâtir, susceptible d'une bonne dérogation, et, avant même qu'un promoteur l'eût retenu, s'arrangeaient avec le ministre ou un de ses proches collaborateurs. Une fois assurés de leurs arrières, ils allaient trouver un promoteur et lui vendaient la dérogation. Le boni se partageait généralement en trois : le ministre (ou ses collaborateurs), le promoteur et le démarcheur. Il s'ouvrit ainsi plusieurs « agences de dérogation », liées étroitement au parti gouvernemental. Le Général en ignorait tout, bien entendu. Hapié en avait entendu parler. Il se dit que ce serait un bon système pour financer, au moins à ses débuts, l'opération « France-Bébés ». Son erreur fut de croire qu'il saurait personnellement monter un coup de ce genre.

Non loin de son domicile, derrière Saint-Germain-des-Prés, à Paris, croulait lentement une bâtisse tricentenaire qu'un député de l'arrondissement, amoureux des vieilleries, avait fait classer. C'était à vendre, pour une bouchée de pain : aucune surélévation, aucune extension, aucune modification de la façade n'était autorisée. Hapié l'acheta de ses économies et fit sauter l'une après l'autre les interdictions : les ministres et hauts fonctionnaires compétents n'osèrent s'opposer à lui, tout marchait comme sur des roulettes, les travaux allaient grand train et Hapié se voyait déjà à la tête de trois millions de l'époque (le franc faisait alors environ le dixième de notre franc 1999, qui vaut, comme on le sait, cinq dollars ou sept marks), quand un journal de l'opposition raconta toute l'affaire, aveç plans d'architecte et libellé des dérogations à l'appui.

Hapié, trahi, risquait la correctionnelle, le déshonneur. Un ancien Premier ministre de France en justice pour une sorte d'escroquerie, c'était insupportable. Lui qui avait présidé à la liquidation de notre belle province algérienne sans la moindre aigreur d'estomac pensa au suicide. Mais on veillait sur lui à l'Élysée où, sans qu'il ait eu besoin de s'expliquer, on comprit et son faux pas et sa détresse. Le Général enjoignit au reptilien de son cabinet, Rahat Loucoum, véritable incarnation de l'onctuosité épiscopale, de régler cette histoire tant sur le plan judiciaire que sur le plan financier.

Un odieux magistrat qui s'obstinait à chercher noise à Hapié eut un accident d'automobile définitif. Rahat Loucoum convoqua ensuite un de ses correspondants du monde des affaires ; il lui mit en main le marché suivant : pour dix millions de l'époque, versés comptant à lui Loucoum, et dans le secret le plus absolu, on lui adjugeait le monopole du ramassage et de la vente de tout le matériel militaire laissé par l'armée française en Algérie. Au bas mot, il y en avait pour cent cinquante millions. Le commerçant topa là. Rahat Loucoum remit dix millions à Hapié, en billets de cinq cents francs ; il y en avait pour soixante-dix kilos. Le transport fut assuré par une camionnette de l'administration qui, ostensiblement, alla de l'Élysée au domicile d'Hapié ; on fit savoir que l'ancien Premier ministre, qui prenait du champ, allait écrire pour son maître un rapport sur d'éventuels ajustements de la Constitution ; d'où les documents transférés à son domicile.

Nous rendrons sous peu justice à ce personnage trop mal connu de l'histoire nationale du troisième quart du XXᵉ siècle que fut Rahat Loucoum. Sa mort, en 1992, dans la chartreuse où il s'était retiré et où son propre père avait lui-même canoniquement fini ses jours, est passée inaperçue, mais vingt ans avant il faisait les titres des journaux en raison du rôle mystérieux qu'il jouait auprès du chef de l'État : il avait la haute main sur les services secrets, sur la diplomatie couleur de muraille. Officiellement, il détenait la responsabilité des relations avec les anciennes possessions françaises d'outre-mer. Un mur de son bureau s'ornait d'une carte du monde avec, teintés de rose vif, les territoires, mandats, colonies, protectorats et autres condominiums français de par le monde. Coquetterie inouïe du plus grand cerveau politique de tous les temps : le Général lui avait confié, publiquement, le soin de conduire à bien ce qu'on appelait la Décolonisation. En réalité, et à l'insu d'Hapié, car le Général ne disait à chacun de ses serviteurs que ce qu'il devait savoir, Rahat Loucoum jetait discrètement les bases de la reconquête de l'empire, reconquête qui aurait lieu, selon les estimations du maître, dans la première décennie du XXIᵉ siècle. Pour une fois, le Général a commis une légère erreur, puisque, à l'heure où nous corrigeons les épreuves de ce récit, en ce 18 juin 1999, cinquante-neuf ans, jour pour jour, après l'Appel, c'est chose faite, à l'exception du Sandjak d'Alexandrette. Certes, nous n'avons pas non plus récupéré le val d'Aoste, mais on sait que nous ne l'avons pas voulu, que nous en avons fait définitivement cadeau à l'Italie, en remerciant du vote décisif de ses cardinaux en faveur de Son Éminence le cardinal Durant, élu pape au conclave de 1987.

Revenons à Hapié : il avait très vite conçu l'idée d'exécutions systématiques d'avorteurs et d'avortées. Il lui fallait réunir des tueurs sûrs et habiles. Une opportune mission à l'étranger, au nom du gouvernement, lui permit d'observer *de visu* ce qui se faisait alors de mieux dans le monde en ce domaine : l'Escadron de la Mort au Brésil. Le fondateur de cette remarquable institution, le commissaire Fleury, fut à son tour invité en France et voulut bien faire part de son expérience à une douzaine de policiers et d'agents spéciaux, triés sur le volet (Rahat Loucoum, là aussi, eut son mot à dire). Bien entendu, quand ces messieurs eurent à entrer en action, on ne les éclaira pas sur la finalité politique de l'entreprise. A ces patriotes fervents, certes, mais d'une envergure intellectuelle limitée, toute leur intelligence s'attachant à tuer sans se faire pincer, on se contenta de désigner d'une manière précise, et sans que l'enquête préalable fût faite par eux, les mauvais Français à éliminer.

Mais nous n'en sommes pas encore là.

Nous n'avons certes pas l'intention de récrire l'histoire de notre pays depuis la disparition physique du Général. Ce récit n'a d'autre but que d'apprendre à nos enfants et à nos petits-enfants qu'il ne faut jamais désespérer de la France, que quand tout semble perdu pour elle, tout redevient possible pourvu qu'elle en ait la volonté. « Dieu est-il français ? » se demandait jadis un

Allemand en découvrant la richesse matérielle et morale de notre cher et vieux pays. « Je crois au miracle parce que je crois en la France », s'écriait aux jours sombres de 1940 un président du Conseil dont le vrai mérite, bien qu'inconnu du public, fut d'enseigner l'*a b c* de la politique à l'alors très jeune Ludovic Hapié, qu'il prit à son cabinet.

Hapié croyait à la France et au miracle. Il avait assisté, dans les années 50-60, à ce qu'on appela le « Miracle allemand », qui consista dans le rétablissement par les larmes et la sueur de l'économie d'outre-Rhin. Il fallait à la France de 1962 un miracle pour qu'elle redevînt ce qu'elle avait été. Hapié comprit que les artisans de ce miracle historique, il les trouverait au sein des groupes, des associations, des partis qui avaient tout essayé, tout tenté, risquant leurs vies à l'occasion, et engageant toujours celles des autres, pour maintenir la grandeur. De même fallait-il écarter ceux qui avaient applaudi au rétrécissement, joué un rôle, volontairement ou par inconscience, dans la désintégration de la fibre morale des Français, selon le mot trop fameux d'Eisenhower. Hapié choisit donc les artisans du futur miracle parmi ses amis, ses compagnons de l'Algérie française, à l'exclusion de tous autres. Ce fut la revanche des ex.

CHAPITRE VIII

Ombre et silence : Loucoum. Ce n'est pas sans scrupule que nous consacrons un chapitre à cette noble figure, deuxième pilier du Grand Dessein, l'homme sans qui les travaux et les peines de Ludovic Hapié eussent été vains. Dire de Loucoum qu'il aimait la France, c'est dire du fleuve qu'il court à la mer. Au physique il ne payait pas de mine : de petite taille avec assez d'embonpoint, gras de visage, chauve du chef, un regard glauque et quelque peu fuyant, une bouche maigre dans des joues rebondies, plus un fort nez à qui il devait dans son entourage l'affectueux sobriquet de Bourgeon Gentilhomme.

Il avait de la naissance, en effet, bien qu'il ne s'en prévalût pas. Au contraire, quand vint l'âge d'en décider, il se donna un état civil neuf, renonçant au patronyme paternel, sans doute pour éviter toute confusion avec un prince de l'Église qui portait le même nom et à qui il était apparenté par accident. Sa décision coïncida avec son entrée dans la résistance aux occupants allemands (1940-1945), où il joua un rôle éminent. Pourquoi choisit-il Rahat Loucoum ? Est-ce à cause de son inaltérable douceur, de sa courtoisie jamais démentie, de sa bonté, en un mot ? Est-ce par analogie avec la gâterie levantine dont la suavité ne doit pas faire oublier qu'elle renferme une valeur énergétique considérable ? Fut-ce pour mieux tromper les limiers de l'occupant, les lancer sur la piste d'un faciès méditerranéen alors qu'il avait le teint coloré d'un campagnard normand ? Ou voulut-il se donner un patronyme évocateur des us et coutumes de l'Orient, lui dont on murmurait que s'il disait la vérité c'est parce qu'au moment où il la disait il pensait qu'on ne le croirait pas ?

Sa rencontre avec le Général, au moment où celui-ci tenta de restaurer la Grandeur dans l'immédiat après-guerre, tentative qui échoua, détermina le reste de sa vie. Il avait trente ans, il en avait encore soixante à vivre ; ce furent soixante années de sacerdoce.

Lorsque enfin le peuple français, s'appuyant sur sa police et son armée, elles-mêmes guidées par le corps d'élite des parachutistes et la Légion étrangère, remit le Général au pouvoir, Loucoum reçut de son maître et seigneur l'ordre de réunir dans ses mains toutes les affaires reptiliennes du pays, et en ce temps de désordre elles foisonnaient. La tâche convenait à son tempérament, à son sens du devoir. En un rien de temps, les services secrets civils et militaires, les polices surent qui tenait les rênes et tirait sur le mors. Pour de certaines opérations délicates, il créa une police spéciale, qui ne figurait sur aucun registre de l'État, n'émargeait à aucun budget. Il la finança lui-même en recueillant des fonds auprès des industriels, de l'import-export, des banques. C'est ainsi, comme on l'a vu, qu'il procura à Hapié le premier milliard de « France-Bébés ».

L'homme est ainsi fait, écrivait un philosophe tibétain, qu'il ne se peut passer de titres, de décorations, de théâtre. Loucoum était ainsi fait qu'il se tint toujours hors de la lumière, qu'il évita d'apparaître sur le devant de la scène ; si d'aventure un journal ou un politicien lui prêtaient quelque intervention, il démentait en style indirect, avec des termes modestes, désolés ; on adhérait à ses dénégations, rare privilège, car en ce temps-là l'opinion avait plutôt tendance à croire le contraire de ce qu'affirmaient les gens en place, le Général excepté, bien entendu : ses paroles avaient toujours plusieurs sens et chacun d'eux était cru. Dans l'opposition il se trouva des esprits qui s'attachèrent à la perte du grand reptilien, comme ils l'appelaient. On colporta des calomnies axées sur une idée dont la simplicité devait entamer la crédulité des masses : Loucoum tenait auprès de son maître le rôle d'un Père Joseph dangereux, d'un mauvais génie. Lorsqu'on observe, à quelque trente ans de distance, cette campagne d'intoxication, et qu'on examine en même temps le comportement de la puissance américaine vis-à-vis des efforts que faisait la France pour restaurer sa Grandeur, on découvre qu'à l'évidence l'intoxication de notre peuple et les manœuvres de Washington sont les deux faces d'une seule médaille. Les commentateurs d'alors n'y prirent pas garde ; ils voyaient les choses de trop près, manquaient de recul, l'arbre leur cachait la forêt. Or par deux fois, entre la séparation de la métropole d'avec sa province sud-méditerranéenne et le retour du Général à son parc dont il avait fait quinze mille fois le tour, comme il le compte dans ses Mémoires, Washington tenta d'abattre Loucoum, dans l'espérance que sa déchéance priverait la politique du Général, c'est-à-dire de la France, d'un de ses plus ardents animateurs, et du plus sûr. Ce fut d'abord l'enlèvement sur notre territoire d'un commis voyageur en révolutions arabes. Les services spéciaux américains organisèrent le rapt de façon à faire accroire qu'il était le fait des bureaux français dépendant de Loucoum. Le Général en fut un temps ébranlé, se reprit, donna l'ordre qu'on élucidât toute l'affaire jusqu'à la racine, ce qui fut vite et bien fait : Loucoum sortit de l'enquête blanc comme neige, exhalant plus que jamais le parfum d'une âme pure.

Point d'esprit de vengeance chez lui, pas même contre les fonctionnaires et les officiers français qui, légèreté ou complaisance, avaient prêté les mains à la manipulation yanquie. Tout au plus, et à seule fin que les générations futures eussent un jour à leur disposition des éléments de réflexion, consigna-t-il ses informations et ses sentiments dans un dossier secret, intitulé *l'Immaculée Conception,* qui ne s'ouvrira qu'en 2050.

Nous venons de faire une allusion à la piété de Loucoum, à sa dévotion pour la mère de Dieu. Cet homme resta toute sa vie attaché à la religion dans laquelle il était né, fréquentant régulièrement les sacrements, servant la messe matinale à son confesseur. C'est dire l'infamie des racontars qui traînaient sur ses prétendus vices, sur ses crimes supposés !

Une deuxième fois Washington tenta de lui faire la peau, en forgeant une confession d'un espion russe renégat, confession qu'on remit au Général avec un luxe de précautions destinées à la mettre en valeur, à l'authentifier : lettre cachetée au sceau de l'État américain, courrier spécial d'un rang élevé, bourdonnements dans la presse. Ce document faisait la preuve que Loucoum trahissait son maître au profit des Soviets. Rien que ça !

Pour le coup, le Général ne tergiversa pas ; dans l'heure qui suivit la remise du message il convoque son chef reptilien. Il entre ; le Général, gardant le silence, se lève avec solennité, se dirige vers son coffre-fort, l'ouvre, en extrait une épaisse liasse de feuillets, les tend à Loucoum :

– Lisez. Lisez tout devant moi, à haute voix.

– Oui, mon Général.

Il lut. Il lut tout d'un bout à l'autre sans s'arrêter une minute, sans réclamer un verre d'eau : c'était, en trois cent cinquante pages de l'écriture serrée, quasi indéchiffrable du Général, le manuscrit du cinquième tome de ses Mémoires, encore inédit. Le grand homme avait trouvé ce moyen éclatant de montrer à son serviteur qu'il lui conservait toute sa confiance.

Tard dans la soirée, lecture faite, Loucoum se retira dans son bureau, en ouvrit un placard dont il sortit un prie-Dieu et, s'installant devant une commode sur laquelle trônait une statue de la Vierge, passa le reste de la nuit en actions de grâce. Au petit matin, l'homme de peine qui nettoyait les locaux eut la surprise, au moment d'ouvrir la porte du cabinet de Loucoum, d'entendre celui-ci chanter :

– Jeanne d'Arc, ton peuple te prie,

» Mets au cœur des Français la foi des anciens jours.

» Qu'il monte jusqu'aux cieux, ce cri de la patrie,

» Catholique et Français toujours,

» Catholique et Français toujours !

Jamais deux sans trois, dit-on ; en 1975 il y eut une troisième offensive américaine contre Loucoum. Dans les derniers jours d'octobre parut à Chicago un livre de prétendus souvenirs d'un ancien agent secret français aux États-Unis. Il rapportait que dans les années du Général on avait créé au sein des services spéciaux qui dépendaient de Loucoum un certain « Brain of Intelligence and Action ». Ce soi-disant cerveau, écrivait l'hebdomadaire *le Point* du 27 octobre 75, « décidait non seulement des opérations importantes mais aussi de l'exécution physique de certaines personnalités ».

Personne en France ne crut une seconde que le chef reptilien du Général eût pu jouer un rôle dans un comité de ce genre ; on ne crut même pas que fût possible chez nous l'existence d'un tel organisme. L'incrédulité générale ne contribua pas peu à l'étouffement de l'infâme rumeur, que le gouvernement français traita quant à lui par le mépris, c'est-à-dire par un silence profond et d'une rare dignité.

On frémit rétrospectivement à ce qui se fût passé si la C.I.A., mieux renseignée, avait frappé plus juste ; ce « Brain of Intelligence and Action » que le renégat des services français disait servir de bras séculier à Loucoum pour ses hautes et basses œuvres existait en effet bel et bien, mais sous un autre nom et pour un objectif éminemment respectable. C'était la *Brigade Point Contre-Point,* la terrible B.P.C.P., à qui Loucoum confia le soin de réaliser « France-Dîme », un des volets essentiels de « France-Bébés », fondement du Grand Dessein.

Mais, avant de donner un aperçu, forcément écourté, des exploits de la B.P.C.P., revenons à ce jour de 1962 au cours duquel le Général chargea Ludovic Hapié de la planification du Grand Dessein. Le lendemain il reçut Loucoum et le mit au courant de la mission impartie à Hapié.

Loucoum sourit dans sa barbouze : le maître restait égal à lui-même en maintenant deux fers au feu,

130

en recourant à la vision binoculaire ; ainsi, pendant qu'il travaillait en personne à restituer au monde la puissance française, il faisait œuvrer en sous-main à sa restauration de l'intérieur même de l'hexagone. Le retrait de tous nos territoires d'outre-mer n'était qu'une feinte : il replongeait les Français dans le sein de leur mère pour qu'après y avoir refait leurs forces et retrempé leur âme ils en repartent un jour sûrs d'eux-mêmes et dominateurs.

Loucoum fut donc chargé de seconder Hapié efficacement et dans les domaines particuliers dont il possédait la maîtrise. Le Général ne lui recommanda pas la discrétion, précaution superflue.

— Rencontrez Hapié, mais dans des occasions habituelles, pas autrement. Et je ne veux pas d'un comité Isidore ou Théodule. Vous m'entendez ?

— Parfaitement, mon Général. Il ne devra rester aucune trace de notre entreprise.

— De mon entreprise, Loucoum ! Aucune trace, sauf bien entendu les faits. L'Histoire parlera d'elle-même, comme d'habitude.

Après moult cogitations communes, Hapié et Loucoum en vinrent à la conclusion que la pornographie constructive, les déficiences de la pilule, les coups d'épingle dans les diaphragmes, les stigmatisations et autres campagnes de bouche à oreille ne suffiraient pas à mettre les Françaises et les Français dans l'état d'esprit nécessaire et suffisant à la réalisation de « France-Bébés ». Il y fallait des incitations plus fortes, plus spectaculaires et, disons le mot, quelque peu terrorisantes. La crainte du châtiment est le commencement de la sagesse. Grand ennemi des Américains, qui le lui rendaient bien, on l'a assez vu, Loucoum s'était fait un devoir d'étudier à fond les méthodes qu'ils utilisaient dans leur empire et chez eux pour mener les opérations de dissuasion collective. Il s'agissait d'assassinats sélectifs fondés sur le principe biblique universellement connu : « Il vaut mieux qu'un seul homme meure pour tout un peuple. »

Voici comment fonctionnait et fonctionne encore dans l'empire yanquie, à la satisfaction de l'ensemble du monde libre, ce remarquable système.

Tout d'abord, la C.I.A. place des hommes à elle partout où elle le peut : dans l'industrie, la finance, l'enseignement, etc. D'autre part, elle forme des commandos capables d'éliminer sans bavure telles et telles personnes dont les agissements menacent ou menaceraient la puissance américaine ou ses alliés. C'est ainsi que nombre de directeurs généraux, d'ingénieurs, de professeurs d'université, d'étudiants, de journalistes, d'hommes d'affaires, de boutiquiers, de curés appartiennent secrètement à la C.I.A., lui obéissant au doigt et à l'œil, par pur patriotisme, la renseignant sur tout ce qui de près ou de loin peut l'intéresser – et elle s'intéresse pratiquement à tout.

Ces honorables correspondants fournissent des millions d'indications partielles dont la synthèse permet, dans le traitement d'une situation donnée, de répertorier les points sensibles, les minorités agissantes, les personnages positifs, négatifs, voire dangereux à court ou à long terme. La conjonction du renseignement et du bras séculier donne d'heureux résultats. Dans les années 60-80, par exemple, quantité d'agitateurs de toutes couleurs, mais de préférence noirs, disparurent de la circulation aux États-Unis, en Amérique centrale et latine, de même qu'une foule de meneurs révolutionnaires ou d'individus susceptibles de devenir un jour des meneurs. Tout ce joli monde passa de vie à trépas par le moyen d'accidents de la route, de morts subites, de suicides tous plus naturels les uns que les autres. Les ennemis de la C.I.A. voulurent l'accuser de ces disparitions ; ils ne purent jamais en fournir les preuves.

Loucoum utilisa ces techniques pour procéder à la liquidation physique, à partir de janvier 77, et selon un calendrier rigoureusement échelonné, de certains gynécologues-accoucheurs et avorteurs. Ce fut l'opération « France-Dîme », ainsi dénommée parce qu'elle consista à supprimer, à raison d'un par mois lunaire, puis de deux, puis de quatre – on serait allé jusqu'à un par jour, si le besoin s'en était fait sentir – un avorteur choisi au hasard parmi les dix premiers de son département.

Pourquoi les vingt-huit jours du mois lunaire ? Tout simplement parce que c'est la durée du cycle féminin et que cette circonstance parut à Hapié et à Loucoum de nature à accroître l'effet qu'ils recherchaient. Toute cette affaire devait baigner, selon eux, dans une atmosphère trouble, inquiétante, en un mot utérine.

Nous parlions de hasard : en fait, on tirait les victimes au sort. Ce procédé s'explique par le scrupule humanitaire, démocratique aussi ; agir autrement eût été tun assassinat pur et simple. En faisant désigner le gynécologue à abattre par le jeu des petits papiers brouillés au fond d'un chapeau, on portait le choix à un plan supérieur, on le transcendait : ce n'était pas tel homme, habitant telle rue, ayant tel visage qu'on éliminait ; c'était un bouc-émissaire, un symbole anonyme qui, à la fin de l'élection, se trouvait malheureusement pour lui posséder les caractéristiques humaines dites plus haut. On laissait au sort le soin de désigner l'ennemi inconnu ; on le liquidait après.

France-Dîme se composait de deux organes : un bureau de renseignements, « Point », et un office d'exécution, « Contrepoint ». Chacun d'eux avait un chef, l'un ignorant l'autre, l'un et l'autre responsables devant Loucoum seul. Le premier, l'homme de « Point », mit facilement en place son réseau d'informateurs ; il les choisit parmi les partisans les plus dévoués du Général au sein de la police reptilienne créée par Loucoum. Leur tâche se peut comparer à celle des Renseignements généraux de la Sûreté : recueillir par mille moyens toutes informations utiles, en écoutant les gens dans la rue, dans les boutiques, en causant avec les concierges, les commerçants, en interrogeant aimablement ou fermement les clochards, les hippies ; et comme il s'agissait notamment de repérer les gynécologues qui pratiquaient des avortements, en leur envoyant d'éventuelles clientes, on tirait des déductions du ton et de l'empressement qu'ils mettaient dans leurs réponses. On surveillait aussi leurs portes. Au besoin on payait un verre à leurs infirmières, sous un prétexte ou sous un autre. Il ne fut pas plus malaisé de repérer les femmes qui venaient se faire aspirer. On avait jugé nécessaire d'en enlever une sur cinquante dans le but de dissuader les candidates à l'interruption de grossesse.

Nombre de ces enquêteurs parallèles appartenaient du reste à un service de la police officielle ; les vérifications s'en trouvèrent facilitées.

Ces circonstances, à quoi on n'oubliera pas d'ajouter la conscience professionnelle des reptiliens, expliquent qu'aucune erreur grave ne fut commise et qu'à tout prendre les gynécologues exécutés figuraient bien parmi les stakhanovistes de leur département. A notre connaissance, on ne déplora qu'une seule bavure, aujourd'hui encore inexpliquée : le meurtre, par une balle de P. 38 de 9 mm, comme le voulait l'usage, d'un vénérable médecin bisontin, membre du Conseil de l'Ordre, commandeur du Mérite et qui présidait l'association locale de « Laissez-les vivre ». Tomba-t-il victime d'une homonymie, comme le crurent les enquêteurs dépêchés par Loucoum ? Possible. Toujours est-il qu'il mourut le 9 septembre 77 en sortant de son cabinet d'où il avait chassé, l'après-midi même, cinq clientes enceintes qui avaient osé se présenter devant lui pour demander l'aspiration.

Les tueurs de « Contrepoint » venaient eux aussi du monde parallèle qu'entretenait Loucoum. Il y avait pénétré bien malgré lui au moment où le pouvoir dut employer des moyens désespérés pour tenir en respect les politiciens, les généraux et les fonctionnaires français qui se rebellaient contre la politique algérienne du Général. Que faire contre ces renégats qui ne reculaient devant rien, recouraient à l'assassinat, à la bombe, aux pires extrémités, et qui osèrent attenter aux jours du Général, lequel ne fut sauvé que par un miracle ? Loucoum attribua ce miracle à Jeanne d'Arc, d'autres fidèles l'imputèrent à la petite Thérèse de Lisieux ; il n'en demeurait pas moins qu'il fallait réunir contre ces bandits autre chose que des prières ou des médailles saintes. On sait trop que pendant les deux grandes guerres mondiales les scapulaires et les amulettes bénies ne protégèrent pas également tous les soldats qui en portaient ! Oui, on devait combattre le feu par le feu, aux mœurs de gangsters opposer des méthodes de hors-la-loi.

Dans les différentes biographies de Loucoum publiées ces dernières années, par exemple dans l'ouvrage de M. Éloi Ladurine (*Loucoum, le glacier brûlant,* aux Éditions du Soleil Noir), ce recours forcé au milieu se trouve fort discuté. On s'étonne que le chef reptilien n'ait pu, su ou voulu recruter, pour mater les rebelles, ses exécutants dans les services spéciaux officiels qui disposent de tueurs expérimentés. Voilà bien des réflexions d'historiens rarement sortis de leurs bibliothèques ! Au temps de l'Organisation secrète, les services spéciaux étaient infiltrés par les agents adverses, et d'une ; nombre d'officiers de ces services sympathisaient avec les rebelles, et de deux ; dans ces conditions, comment repérer les authentiques patriotes et assurer leur sécurité ? La seule solution viable consistait à trouver des hommes de main qui ni de près ni de loin n'auraient affaire aux services ou au patriotisme, des agents qui agiraient sans préjugé politique comme sans scrupule ; qui, tuant pour tuer, ne s'embarrasseraient pas de réfléchir avant de tirer.

Les fruits passèrent la promesse des fleurs : les reptiliens de « Contrepoint » firent tant de ravages par le revolver, la mitraillette, la grenade, le plastic au sein des ennemis du Général, c'est-à-dire de la France, que ceux-ci capitulèrent bientôt. Mais une fois l'ordre rétabli – et c'est là que les critiques des historiens pourraient prendre quelque poids – les tueurs reptiliens se retrouvèrent désœuvrés, désemparés. Du fait de leur participation à la grande œuvre nationale, des risques encourus, des pertes subies, ils avaient acquis des droits sur les Français ; du fait de leur propension à voler, à tuer, à kidnapper – pour leur propre compte, s'entend – ils posaient des problèmes. La conciliation de leurs tendances naturelles avec le maintien de l'ordre, dont Loucoum restait le premier responsable, tenait de la quadrature du cercle. L'ordre qu'il reçut de préparer « France-Bébés » le tira d'affaire : il ferait de ses reptiliens le bras séculier du Grand Dessein.

Quinze ans, il les tint quinze ans en haleine ! Certes tout n'alla pas pour le mieux. Parmi ces hommes, certains, ne se contentant pas de la demi-solde, retournèrent à leurs errements dans une proportion supérieure à celle qu'avait autorisée leur chef. Ils commirent des forfaits dont la parfaite exécution les dénonça : cambriolage de banques, de bureaux de poste, etc. On n'osa pas les arrêter, ce qui se conçoit, mais on dut en éliminer physiquement quelques-uns, notamment ceux qui se livrèrent à des prises d'otages et au trafic de drogue. Fin 76, les morts, les épurations, les règlements de comptes avaient considérablement réduit les effectifs ; mais les survivants, surentraînés, répondaient aux exigences techniques les plus élevées : douze commandos de deux hommes, moitié pour les gynécologues, moitié pour les aspirées, attendaient le signal de l'action. Il vint, comme on l'a vu, au petit matin du 21 janvier 1977 ; le tirage au sort désigna un gynécologue-accoucheur et avorteur de Strasbourg, dont la mort passa du reste pratiquement inaperçue en dehors de son quartier.

Pour financer « Point-Contrepoint » et les autres structures du Grand Dessein, Loucoum recourut à ses méthodes habituelles, celles mêmes qui lui avaient permis de forger l'outil de la victoire sur les rebelles d'Algérie. Tout au plus en augmenta-t-il la cadence.

Il fit un effort sur les dérogations immobilières, et tira aussi pas mal d'argent de la vente d'armes à l'étranger, en faisant attribuer force contrats à des industriels qui lui ristournaient un pourcentage sur les profits. Un temps il constitua même sa propre firme d'exportation, pour mieux servir les deux côtés d'une guerre civile au fond de l'Afrique.

Ce ne fut pas de l'argent gâché. Lorsque les lignes directrices du Grand Dessein eurent été définies, Hapié et Loucoum convinrent qu'une des toutes premières étapes devrait consister à recruter des hommes et des femmes susceptibles de détenir, le jour venu, certains postes de responsabilité dans l'industrie, dans l'administration, dans la presse, partout où on aurait besoin d'un coup de pouce. Ces hommes et ces femmes se trouvaient pour le moment dans les universités et les grandes écoles, à l'occasion dans les grands séminaires, ou en sortaient à peine. Les repérer, les approcher, les prendre en main, les tenir, cela demandait du renseignement, du savoir-faire, des moyens matériels, au besoin un appareil de répression...

Nous ne saurions trouver meilleure illustration de cet aspect spécial de l'entreprise qu'en examinant les voies et les moyens de l'opération « France-Pilule ». Loucoum et Hapié, très rapidement, s'attaquent à ce problème : comment étrangler la maudite contraception, et l'étrangler en catimini ? Comme il n'est pas question de l'interdire, à cause de sa popularité et du libéralisme officiel du pouvoir, ils calculent qu'il suffirait de s'en prendre à sa fiabilité. Ils décomposent l'affaire en trois points. Premièrement, rien n'est possible si la drogue est fabriquée par une douzaine et plus de laboratoires ; on ne saurait tenir tant de gens à la fois. Il faudra donc, sous un prétexte ou sous un autre, parvenir à réduire le nombre des industriels, si possible à n'en avoir qu'un.

Deuxièmement, on fera en sorte que cette firme industrielle, en l'occurrence un trust de la chimie pharmaceutique, soit dirigée par un homme lige, qu'en outre le conseil d'administration soit rendu sensible à certaines interventions.

Troisièmement, il faudra que toute tentative de saboter l'action engagée sur ce point, quelque forme qu'elle prenne, que ce soit une contestation à l'intérieur du laboratoire lui-même, sait-on jamais avec les ingénieurs et les laborantins, ou que ce soit des vérifications portant sur la composition réelle de la drogue falsifiée, soit enrayée dans les délais les plus brefs et, en cas de besoin, enrayée de manière spectaculaire. *Id est* par les hommes de « Contrepoint ».

On a vu comment Hapié, devenu ministre des Finances pour peu de mois, réalisa la fusion pharmaceutique ; ce ne fut certes pas la seule raison de son passage rue de Rivoli ; disons que c'en fut la principale.

Les commandos spécialisés dans l'enlèvement des avortées connurent eux aussi des déboires, comme leurs collègues tueurs. Très respectueux de la vie humaine, dans la mesure où sa mission le lui permettait, et singulièrement lorsqu'il s'agissait de jeunes femmes pouvant encore enfanter, Loucoum voulut limiter au maximum le nombre des morts. Il avait pieusement conservé dans sa mémoire une remarque du Général :

– Le sang sèche vite, Loucoum, mais point trop n'en faut.

Il avait donc donné aux commandos enleveurs deux ordres stricts : mettre soigneusement au point leur méthode de rapt, de façon à éviter toute effusion de sang ; garder en lieu sûr, et vivantes, les aspirées. On les relâcherait plusieurs années après, quand leurs bavardages, si tant est qu'elles osassent bavarder, ne présenteraient plus de danger.

Un beau jour du printemps 71, la première édition de *France-Soir* parut avec, barrant sa première page, ce titre sensationnel : « Une jeune femme enlevée en plein Paris. »

A neuf heures du matin, disait le journal, une passante de vingt-cinq-trente ans, bien habillée, qui se dirigeait vers le métro Vaneau, en marchant sur le trottoir côté pair de la rue de Sèvres, avait été enlevée par deux hommes surgis d'une voiture qui s'était arrêtée à sa hauteur, en face de l'entrée de l'hôpital Laennec. Une dizaine de témoins avait assisté à la scène, dont un médecin qui sortait de l'hôpital. La police, interrogée par le journal, répondit qu'elle avait elle aussi été prévenue, qu'elle enquêtait mais qu'elle n'avait pas encore trouvé le moindre indice sérieux. Trois des témoins, dont le médecin, avaient prévenu *France-Soir*.

Cette première édition sortit à onze heures du matin ; à treize heures le titre et l'information avaient complètement disparu de la première page de la deuxième édition et même du journal tout court. Les reporters des autres gazettes, qui s'étaient mis en chasse, n'en croyaient pas leurs yeux. Les collègues de *France-Soir* leur confièrent que l'ordre de tout échopper émanait de la direction. Les correspondants accrédités auprès de la police se firent rabrouer ; cette histoire n'avait existé que dans leur imagination, leur dit-on !

— Mais vous avez vous-mêmes, confirmé l'enlèvement, firent-ils aux policiers.

— Nous avons nous aussi été victimes d'un
canular, avouèrent ceux-ci.

Le médecin témoin demeura quant à lui introu-
vable : l'hôpital déclara qu'il venait de quitter Paris
pour un congrès à l'étranger. La chose n'alla pas plus
loin. Heureusement ! Le commando qui devait opérer
dans les grandes villes avait voulu, pour se faire la
main, tenter une répétition générale au cœur de Paris,
dans les conditions les plus difficiles, et il s'en était
fallu d'un rien que tout échouât. Quand on lui annonça
le titre et le papier de *France-Soir,* Loucoum faillit
avoir une attaque.

— Les imbéciles, les maladroits, sabotage, grom-
mela-t-il.

Dans les cinq minutes un plan Orsec fut déclenché :
le directeur de *France-Soir,* un ami intime du Président,
fut prié de tout caviarder, ce qu'il exécuta aimablement,
sans demander d'explications. Quant à la jeune femme,
on lui exposa qu'on ne lui voulait aucun mal, qu'il
s'agissait d'une méprise ; on l'avait confondue avec une
redoutable espionne de l'Est venue à Paris pour soutirer
sur l'oreiller nos secrets atomiques au ministre de la
Défense. On lui fit jurer sur sa tête de ne jamais rien dire
de son aventure, sous peine de mettre la France en
danger. La midinette promit, s'en fut et, pas peu fière,
raconta tout sous le sceau du secret à ses petites camarades, qui lui rirent au nez.

Le ratage servit de leçon aux commandos : ils
fignolèrent leur technique et, quand les temps furent
venus d'entrer pour de bon en action, tout marcha
comme sur des roulettes.

Ce qui alla moins bien, ce fut la garde, en un lieu sûr, des aspirées kidnappées. A la fin de 1979 on en comptait cinq cent vingt-trois. Quand, deux ans et demi plus tard, les promoteurs de « France-Bébés » estimèrent qu'on pouvait les relâcher, la pompe démographique étant alors si bien amorcée que rien ne l'arrêterait plus, ils eurent la désagréable surprise d'apprendre qu'on ignorait ce qu'elles étaient devenues. Loucoum se fâcha tout rouge et demanda une enquête – à un département distinct des commandos, s'entend. Ce qu'il apprit faillit lui donner un infarctus.

On aura retenu que nombre d'hommes des commandos avaient peu ou prou appartenu au milieu ; bien que réhabilités par le service de l'État et moralement amendés par leur participation à une cause patriotique, il leur était resté de leur passé une propension à trafiquer de la Blanche. Au lieu de parquer les avortées dans une ancienne propriété alsacienne qu'on avait aménagée en hospice psychiatrique (c'est ce que la presse locale imprima), ils les avaient fait transporter, par des filières d'eux connues, en Afrique du Nord, au Moyen-Orient, dans les Amériques latines, où elles travaillaient dans des bordels, et dans des bordels bien gardés.

Il n'était pas question de les en faire revenir. Loucoum resta deux semaines prostré. Il assista à la messe chaque matin pendant neuf jours. Sa neuvaine terminée, il agit : il fit liquider purement et simplement les six commandos d'enlèvement par les commandos d'exécution. Et comme si cet acte de justice ne suffisait pas, peut-être aussi pour dissuader les tueurs de faire des confidences, il les fit liquider par les reptiliens du contre-espionnage, lesquels, officiers de carrière, présentaient toutes garanties de discrétion ; ils détestaient les reptiliens parallèles ; ce leur fut un plaisir de les envoyer *ad patres*.

Après quoi Loucoum fit célébrer, à ses frais, une messe pour le repos de l'âme de chacun de ses collaborateurs si tragiquement disparus.

CHAPITRE IX

C'est le drame éternel de l'historien de ne pouvoir relater d'un coup, globalement, tous les faits qui doivent figurer dans son récit. Ainsi avons-nous été amenés à décrire « France-Dîme » avant « France-Ex » qui, chronologiquement, la précéda. Il nous faut encore remonter à la fatidique année 1962.

On aura appris dans les manuels qu'en ce temps-là un quarteron de chefs militaires et civils français se révolta contre la politique algérienne du Général et prit le maquis. Ils constituèrent une Grande Compagnie secrète qui opéra en Algérie et en métropole. Ils surent se procurer dans la police, dans l'armée, dans l'administration civile et jusqu'au sein du gouvernement des complicités actives. Comme on l'a vu, Loucoum et ses services eurent le plus grand mal à contrecarrer leur action.

Dans le souci bien compréhensible de ne pas priver le pays de personnages éminents par le rang, la culture et les relations, il fit en sorte que ses reptiliens épargnassent la vie des chefs et de leurs affidés dans la haute administration. Perdre quelques douzaines d'officiers de la Légion étrangère ou de l'infanterie de marine, une ou deux grosses d'inspecteurs de la Sûreté, trois ou quatre milliers de sous-officiers, ne parlons pas des soldats de deuxième classe qui ne sont pas tous comptés, c'est déjà ennuyeux ; toucher aux énarques, aux préfets, aux officiers supérieurs et généraux, non ; la France n'en a jamais trop eu, n'en aura jamais assez.

Il convenait cependant, une fois qu'on les avait repérés, de les neutraliser. Loucoum fit établir sur eux des dossiers complets et, l'un après l'autre, il convoqua les coupables importants pour leur dire qu'il savait tout de leurs activités, qu'il s'agissait de haute trahison, qu'il n'hésiterait pas à saisir les juridictions d'autant plus compétentes qu'on les avait inventées tout exprès et confiées à des magistrats spéciaux. Bref, il leur dit que s'ils ne marchaient pas droit ils ne marcheraient plus du tout. Ce sans préjudice des malheurs qui frapperaient les leurs ; en ce temps-là, maisons et appartements sautaient volontiers et il advenait qu'une charge de plastic bien tempérée envoyât au ciel tous les enfants d'une famille.

Parmi ces personnages, dont l'adhésion à l'Algérie française provenait du cœur même de leur patriotisme et non, comme il fut dit parfois, d'on ne sait quelle ambition, figuraient plusieurs têtes déjà apparues dans cet ouvrage : Loubard de Mirobol, Pénibilis, Clapouard, les chefs des commandos de « Point-Contre-point », le chef de la brigade antigang et quelques autres.

En mettant leur stratégie au point, Hapié et Loucoum convinrent qu'elle ne pourrait réussir sans la complicité du haut appareil gouvernemental.

— Il nous faut, dit Hapié, convaincre une grande quantité de compagnons et d'hommes politiques susceptibles de nous aider. C'est fort dangereux, car cela représente un nombre considérable de bavards et comment assurer le secret ? Et sans le secret, pas de Grand Dessein.

– Quasiment impossible de faire taire tout ce monde-là, dit Loucoum. Ils sont vaniteux, donc bavards. Il nous faut peu de gens, mais des gens à nous, des gens que...

– Que nous tenons, acheva Hapié en soupirant.

– Oui, dit Loucoum, que nous tenons.

– Il y aurait bien C..., le ministre des Voies et Moyens, dit Hapié. On m'a dit qu'il avait des faiblesses.

– Des faiblesses ? dit Loucoum. C'est un gouffre, veux-tu dire. Mais pour un million il nous vendra s'il pense pouvoir nous vendre.

– Hum ! fit Hapié.

– J'ai bien quelques dossiers sérieux, dit Loucoum, mais ils concernent des sous-ordres, à l'exception de Loubard qui est secrétaire d'État. Il est vrai qu'il a les dents tellement longues...

– Qui d'autre ? demanda Hapié.

– Son âme damnée, Pénibilis, et puis Clapouard, le petit Clapouard qui fait ses classes chez Tripou.

– Le petit Clapouard, façon de parler, dit Hapié ; il mesure près de deux mètres.

Tout entier à ses réflexions, Loucoum ne sourit pas au mot de son compagnon.

– Il y aurait bien un moyen extrême, avança-t-il en hésitant, un moyen vraiment extrême...

– Je t'écoute, dit Hapié.

– Mes dossiers, je te l'ai déjà dit, sont plus que sérieux. Ces trois hommes ont commis, dans l'exercice de leurs fonctions, le premier comme ministre, les deux autres comme hauts fonctionnaires, des crimes d'État. De trahison, si tu veux. Même sans les envoyer en Haute Cour, la seule publication de leurs dossiers anéantirait leur carrière. Tu vois ce que je veux dire.

— Non, dit Hapié. Je savais ce que tu me dis là.

— Imagine, reprit Loucoum, qu'ils accèdent tous les trois au pouvoir, à un niveau supérieur, j'entends.

— Quoi, dit Hapié, ces voyous ? Des gens qui ont trahi le Général ?

— Ils ne l'ont plus trahi dès que je les ai tenus, dit Loucoum, et aussi longtemps que nous les tiendrons...

Hapié hocha la tête. Le raisonnement de son compagnon était très solide. Effectivement, on les tenait, et on les tenait bien. Mais il en revenait toujours à son objection : comment aider des traîtres à prendre le pouvoir ? Et que dirait le Général lui-même d'une telle idée ?

— Le Général ne se soucie pas de savoir qui le sert pourvu qu'il soit servi, fit Loucoum.

— C'est vrai, dit Hapié. Il l'a dit et écrit. C'est tout à fait vrai.

— Il arrive même au Général de nommer à de grands emplois des gens douteux, dit Loucoum, pour mieux avoir barre sur eux.

— Parfaitement exact, dit Hapié : je pense à...

Il cita trois noms de personnes aujourd'hui disparues, et dont la révélation n'ajouterait aucune lumière à ce récit ; il s'agissait de deux ministres et d'un grand chef militaire. Le premier avait touché un milliard de francs des années 50 pour avoir oublié de signifier en temps voulu aux Allemands une levée d'option sur un trust chimique, option que la France avait prise au titre des réparations : l'oubli nous fit perdre nos droits au profit de l'Allemagne. Le second était aux mains d'un service de renseignements étranger. Le troisième avait fait passer en France, après la victoire de 1945 sur les Allemands, un train entier de machines à écrire qu'il avait revendues à son compte.

— Tu vois, dit Loucoum, ce sont eux les plus dévoués, les plus inconditionnels.

— Exact, dit Hapié. Je me disais aussi...

— Tu ne le savais pas ? demanda Loucoum.

— Non, dit Hapié. Le Général ne me dit pas tout.

— A moi non plus, dit Loucoum. j'ai appris ces détails par une autre source.

Hapié se renferma dans un long silence : peu à peu son combat intérieur s'apaisait, la raison gagnait sur le cœur.

— En admettant, dit-il, que l'opération soit possible, comment la mener à bien, car, à vue humaine...

— Oui, dit Loucoum, à vue humaine... L'homme propose... Le Général n'est pas éternel...

— Il mourra quand il voudra, coupa Hapié.

— Non, quand Dieu le voudra, cher Ludovic, dit Loucoum. Quand Dieu le voudra.

— Tu crois ? demanda Hapié, ébranlé.

— A. 1, dit Loucoum, qui utilisait parfois le vocabulaire de ses services. Alors soyons prêts pour ce jour-là, de façon que nos hommes (il insista sur « nos ») soient en mesure d'accomplir les tâches que nous leur confierons.

Raconter par le menu les mille et une traverses que les deux hommes rencontrèrent dans l'élaboration de leur plan constituerait à soi seul un fort volume ; les historiens ont du pain sur la planche, eux qui ont jusqu'ici relaté l'histoire de ce temps-là en ignorant l'essentiel. Qu'aucun d'eux n'ait eu l'idée de chercher

– c'est un exemple parmi cent – le véritable ressort de ce formidable coup de théâtre que fut, en 1974, en pleine campagne électorale, la « trahison » (les guillemets s'imposent) de Clapouard qui tourna le dos à son Premier ministre, candidat, pour seconder Loubard, également candidat et également « traître » audit Premier ministre, qu'aucun, dis-je, n'ait cherché à comprendre le comment et le pourquoi d'une si formidable manœuvre dépasse l'entendement. Grouchy, c'était Blücher, Ganelon à Roncevaux, Condé aux Espagnols, etc. Tous ces retournements historiques ont eu leurs chroniques, leurs légendes, leurs opéras ; pas le quitte ou double de Clapouard et de Loubard !

Mais, avant de relater cet épisode historique, il nous faut faire état d'un incident terrible, qui faillit tout anéantir, et que nous avons déjà succinctement évoqué : l'infernale machine américaine organisée pour casser les reins du Général et, en lui ôtant toute initiative, empêcher la mise en place de l'infrastructure indispensable au lancement du Grand Dessein.

On ne conteste plus qu'il y eut une fuite au profit de la C.I.A. Elle ne se produisit pas, Dieu merci, au plus haut niveau ! Il semble que les Américains apprirent, par un de leurs agents infiltrés dans les services spéciaux français, qu'un petit groupe d'hommes particulièrement dévoués au Général préparait une opération secrète dont l'objet était d'éloigner un peu plus la France de l'orbe américain.

L'information recueillie par la C.I.A. était exacte, mais au second degré. Aujourd'hui que le Grand Dessein est plus qu'à moitié réalisé, il suffit de considérer les faits : l'empire reconstitué, la présidence des États-Unis d'Europe revenant de droit à la France, le cardinal de Lyon élu pape, etc., pour constater que notre pays, redevenu une des toutes premières nations du monde sur le plan de la puissance pure, et la première du monde, et de loin, pour le rayonnement intellectuel et moral, entretient avec les U.S.A. des relations d'égal à égal, et nous restons modestes.

L'information de la C.I.A., cependant, était incomplète ; elle donnait l'objectif lointain, non les moyens d'y atteindre. En vain fit-on travailler les analystes, les synthétiseurs, les ordinateurs du siège de Langley (district of Columbia), les réponses furent équivoques. Dans l'incertitude, le Président américain résolut d'agir : il donna l'ordre de fomenter en France une révolution, comme Pitt avait fomenté celle de 1789 ; manque d'imagination des Anglo-Saxons ! Au demeurant, les stratèges yanquies étudièrent soigneusement les manipulations du chef du gouvernement anglais d'alors : son levier en France, ç'avait été la classe intellectuelle qu'il influençait directement par la Franc-Maçonnerie... et aussi, il faut bien le dire, par la Cavalerie de Saint-Georges. En 1968 les Yanquies allumèrent l'explosion par les intellectuels, c'est-à-dire les étudiants et leurs maîtres, les gens de théâtre et de cinéma, la presse ; le reste, le gros du prolétariat urbain, suivit. En six semaines on vit se mouvoir sur la scène française des personnages jusque-là inconnus et fort étranges qui, se disant révolutionnaires, abominaient le socialisme, le communisme, le syndicalisme. Ils détestaient l'Église, la Bourgeoisie, l'Ordre. Ils refusaient le travail, la famille, la patrie. Ils préconisaient une société sans classes, sans cadres, sans production industrielle, réclamaient la contraception généralisée, le partage des femmes, l'égalité des droits pour les homosexuels,

151

le salaire étudiant, l'abolition de l'armée, de l'administration, de la police et de l'État ; en un mot, ils préconisaient quelque chose de bien pire encore que la pire des anarchies. La chienlit des chienlits.

Les partis de gauche, rendons-leur cet hommage, réagirent les premiers, et d'abord le parti communiste. Ils dénoncèrent la main de l'étranger dans ce qu'ils nommaient un complot, une aventure. Pécus n'hésita pas à clouer au pilori un des meneurs particulièrement agité, en le traitant de « juif allemand ». Sur quoi de jeunes écervelés défilèrent dans Paris aux cris : « Nous sommes tous des juifs allemands ! » Au bout de trois semaines de soubresauts, le prolétariat, énervé, se mit de la partie. Alors le gouvernement, se rendant compte que l'affaire menaçait de mal tourner, manœuvra. Il rencontra énormément de bonne volonté parmi les chefs des syndicats et de l'avant-garde de la classe ouvrière qui, ayant enfin compris que tout avait été provoqué par l'Amérique, prêtèrent la main au pouvoir, discrètement, dans le but de sauver ce bien suprême qu'était le régime du Général, garant de l'indépendance et de la souveraineté nationales. Moyennant une bonne augmentation des salaires et la libération des pompes à essence, les ouvriers reprirent le travail, les étudiants, abandonnés, rentrèrent à l'école et le Général fit un discours altier qui marqua solennellement l'échec de la machination.

Soit dit en passant, ne serait-ce que pour indiquer l'étendue de la pénétration américaine dans la haute classe française, il se trouva des politiciens, voire un ministre, pour affirmer que la conjuration était le fait non pas des services spéciaux U.S. mais des services spéciaux chinois ! D'autres incriminèrent les services

152

cubains. Enfin on s'en prit aussi au N.K.V.D. Comme si Pékin ou Cuba ou Moscou eussent eu le moindre intérêt à affaiblir le Général !

Ce coup rata ; les Américains montèrent une deuxième opération, non moins vicieuse. Le tumulte estudiantin, les avantages matériels gagnés par le prolétariat, ajoutés à l'arrêt de l'activité industrielle pendant un mois, avaient porté un coup à l'économie et à la monnaie : à la rentrée d'octobre la France était en convalescence. Ce fut le moment que choisit un syndicat de banques et de sociétés multinationales yanquies excitées par Washington pour porter au franc une attaque qui faillit abattre le Général. En quelques jours notre monnaie nationale s'enfonça dans le flot déchaîné comme un navire démâté et faisant eau. A Bonn, notre ministre des Finances, découvrant soudain que l'Allemagne, notre amie, notre alliée, prêtait main-forte aux U.S.A., eut une crise et fondit publiquement en larmes. A Paris, c'était l'hallali : on annonçait en gros caractères la dévaluation du franc et le départ du Général. Il fit front ; le peuple, saisissant d'où partait le coup, le soutint ; le franc résista. Les Américains cessèrent leur offensive ; ils estimaient que, tel un boxeur sonné, la France ne tiendrait pas la distance ; il suffisait d'attendre une prochaine occasion.

A Paris, Hapié et Loucoum avaient imperturbablement poursuivi leur tâche : leur plan était enfin prêt. A la mi-janvier, Hapié le soumit au Général qui, comme on le sait, l'étudia un mois durant en l'annotant. Il l'approuva et convoqua son ancien Premier ministre.

— Eh bien ! Hapié, j'ai lu votre plan. Je le trouve bon.

— Merci, mon Général.

– Et quand pensez-vous le mettre en œuvre, Hapié ?

– A vos ordres, mon Général.

Le Général se leva, fit le tour de son bureau et vint s'asseoir dans le fauteuil proche de celui où Hapié avait pris place. Et comme il l'avait fait six ans auparavant, lorsqu'il lui confia son Grand Dessein, il lui prit la main et la tapota affectueusement.

– Ludovic, dit-il.

C'était la deuxième fois qu'il l'appelait par son prénom ; Hapié en eut les larmes aux yeux.

– Ludovic, dit-il, il faut renoncer.

– Mon Général, s'écria Ludovic, mon Général !

– Écoutez-moi bien. Par deux fois, l'an dernier, en mai et en octobre 68, les Anglo-Saxons ont essayé de me détruire et donc de détruire la France. Ils recommenceront, Hapié, je les connais. Depuis Roosevelt, ils me haïssent.

– Mais nous sommes là, et le peuple, mon Général.

– Oui, Hapié, le peuple...

Il se fit un silence. Le Général refléchissait, Hapié attendait, suivant des yeux les arabesques de la savonnerie des Gobelins étendue à ses pieds.

– Hapié, reprit le Général, je renonce.

– Non, pas vous et pas ça !

– Je ne renonce pas au Grand Dessein, Hapié, mais au pouvoir.

Et comme son interlocuteur se levait, effaré, cramoisi d'émotion, le Général le fit rasseoir.

– Écoutez-moi bien. Ce qu'ils veulent, c'est que je m'en aille. Ce qu'ils veulent, c'est que je cède la place à un politicien facile qui fasse leurs volontés. Eh bien ! nous allons faire semblant, Hapié. Je m'en vais, Tripou me remplacera. Je ferai savoir que j'en suis mortifié, qu'il me trahit, qu'il n'a plus rien de commun avec moi.

— Mais alors, mon Général, cette campagne...

— Eh oui ! Hapié, cette campagne de calomnies contre Tripou, c'est moi qui l'ai fait déclencher, pour préparer le terrain. Et ça a marché : tout Washington, tout Londres, tout Bonn...

— Pas Moscou, mon Général ? demanda Hapié en coupant la parole à son maître.

Celui-ci ne tint pas compte de l'interruption et continua :

— Tous, ils croient que Tripou et moi sommes fâchés, que j'ai voulu sa perte, et vous ferez en sorte qu'on le croie, vous aussi. Pas trop n'en faut cependant. Tripou, donc, me remplacera et fera le nécessaire pour faire croire aux Yanquies qu'on va se rabibocher avec eux. Il restera cinq ans, Hapié. Vous m'entendez bien : cinq ans.

— Mais la Constitution dit sept ans, mon Général.

— Il la changera, Hapié, et fera voter les cinq ans par référendum. S'il n'y parvient pas, il mourra à l'heure dite, il me l'a juré.

— Mais comment fera-t-il ? demanda Hapié.

Le Général haussa les épaules.

— Comment fait-on pour mourir, Hapié ? On décide de mourir et le tour est joué. Tripou s'en ira donc en 74, au printemps, dans cinq ans d'ici, à un ou deux mois près. Pendant ces cinq ans, temps qui me semble nécessaire pour endormir complètement l'Amérique, vous mettrez votre dispositif en place.

— Mais Loucoum, mon Général ?

— Tripou garde Loucoum, Hapié, je lui en ai donné l'ordre. Loucoum veillera sur Tripou.

155

— Ah ! je vois, dit Hapié. Et dans cinq ans nous ferons élire l'un de nos hommes.

— Oui, Hapié, j'ai choisi Loubard.

— Loubard de Mirobol ?

— Oui, Loubard se disant de Mirobol.

— Mais, mon Général, il...

— Je sais, il a fait partie de la Grande Compagnie, Loucoum m'a tout dit. Raison de plus pour nous en servir, de lui et de ses deux acolytes. Comment les appelez-vous, déjà ?

— Clapouard et Pénibilis.

— C'est ça, Papouard et Clénibilis, va pour eux. Et veillez à ce qu'ils marchent droit. Au besoin, faites un exemple, ces bougres-là...

Il se tut, ferma les yeux un moment.

— Voyez-vous, Hapié, Loubard me paraît le meilleur homme possible. D'abord pour ce que vous savez. Ensuite parce qu'il ne sera jamais soupçonné d'être à nous ; il vient d'un milieu qui m'a toujours détesté, qui a servi le vieux maréchal. Un milieu d'affairistes sans scrupule qui vendraient père et mère. Et puis ce jeune homme connaît le métier. Depuis sa petite enfance son père lui a mis dans la tête qu'il régnerait un jour sur la France. Il ne pense qu'à ça.

— Qu'il régnerait, mon Général ?

— Eh oui, régnerait. Ou qu'il serait président de la République, c'est tout un. Avec ma Constitution, roi ou président, quelle est la différence ? Disons que nous sommes une monarchie élective, en attendant mieux. Si l'autre n'était pas aussi bête...

— Vous voulez parler du prétendant, mon Général ?

156

Il ne répondit pas, réfléchit un instant et poursuivit :

— Vous savez, Hapié, le père de Loubard, il faut vous en occuper. Il ne s'appelle pas plus de Mirobol que vous et moi. Un nom d'emprunt. C'est bien le moins pour un financier. Il est dévoré d'ambition pour son fils et celui-ci lui obéit au doigt et à l'œil. Arrangez-vous pour fréquenter le vieux, regardez d'un peu près ses affaires, Loucoum vous y aidera ; bref, qu'il soit à nous. Au besoin, n'hésitez pas...

— Très bien, mon Général.

— Quant aux deux autres loustics, Papouard et Clénibilis...

— Clapouard et Pénibilis, mon Général...

— Comme vous voulez. Vous en ferez des ministres, le temps venu, et même un Premier ministre et un ministre de l'Intérieur, si vous pouvez. Il va de soi qu'ils ne devront d'ici là manquer de rien. Qu'ils n'aillent pas faire de bêtises...

— C'est qu'ils ont de gros besoins, mon Général. Clapouard voudrait s'acheter un château...

— Déjà ? Il va vite, celui-là. Eh bien, dites à Loucoum qu'il fasse le nécessaire. Par ses filières habituelles. L'immobilier. Ah ! l'immobilier ! s'exclamat-il sur le ton méprisant qu'il prenait à chaque fois qu'il était question d'intendance. Un château, reprit-il ; mais, ma parole, il veut aussi s'anoblir, ce jean-foutre ?

— A vos ordres, dit Hapié.

— Et Pénibilis, demanda le Général, il n'a pas de vices ?

— Il les a tous, dit Hapié.

— Diable, dit le Général, faites bien attention

157

à lui. Quelqu'un qui a tous les vices est aussi dangereux qu'un innocent.

On exécuta point par point les ordres du Général. A son départ, Tripou lui succéda. Il tenta de ramener la durée de son mandat à cinq ans mais n'y parvint pas. Il mourut donc, à l'heure dite, ou plutôt un bon mois en avance sur l'anniversaire exact de son accession au pouvoir ; suprême coquetterie, ultime marque de zèle envers son maître.

Ce dernier n'était plus là pour apprécier ce geste admirable ; il s'en était allé, lui aussi, et il choisit de le faire au moment même où le premier général de l'Algérie française qui s'était rebellé contre lui parlait à la radio, deux heures après avoir été gracié. Cette grâce, c'était la première clause du contrat que les promoteurs de « France-Bébés » avaient passé avec les anciens de l'Organisation secrète ; c'était la preuve que le Grand Dessein se mettait inexorablement en marche : le Général pouvait partir. Il partit alors qu'il se livrait à son jeu de cartes favori : la réussite.

CHAPITRE X

Le choix qu'avait fait le Général du jeune Loubard de Mirobol pour conduire le char de l'État pendant la réalisation du Grand Dessein devait tout au calcul et rien au sentiment. La révolte estudiantine et l'attaque contre le franc de 1968 avaient montré que l'ennemi yanquie ferait son possible pour empêcher la renaissance française ; le Général ajusta sa stratégie en conséquence.

– De quoi s'agit-il ? eût demandé Foch.

– Il s'agit, lui eût répondu son chef d'état-major Weygand, de neutraliser la masse de manœuvre dont disposent les Américains à l'intérieur de notre dispositif.

Cette masse de manœuvre, le Général l'appelait le parti américain, qui selon lui comprenait trois tendances : les culs dorés, les culs bénits et les culs tout court. Il se trouvait que le vieux Loubard de Mirobol, père d'Aimery, figurait parmi les importants des dorés et des bénits, ayant à la fois l'oreille de la finance internationale et l'appui de la haute Église dont il était le banquier.

C'était un homme sorti de peu, qu'une volonté de fer, jointe à une formidable opiniâtreté au travail et à un sens aigu des affaires, avait propulsé au premier rang.

– Il y a deux institutions, avait-il coutume de dire à son fils, qui rendent au centuple les services prêtés : l'État et l'Église. N'hésitez jamais à vous mettre à leur disposition : ce sont eux qui détiennent les clés de la vraie richesse, celle du grand nombre.

Banques, établissements commerciaux, industries, on compte par douzaines les entreprises qu'il fonda ou dirigea. Sur ses derniers jours, riche à milliards, il siégeait encore dans une trentaine de conseils d'administration. Quelle aventure pour ce petit-fils d'un ferblantier du Limousin !

C'est là que le bât le blessait : ses origines. Que tant d'intelligence, de caractère, d'audace, de génie en un mot, qualités proprement aristocratiques, fussent le lot d'un roturier lui faisait l'effet d'une erreur de la nature, sinon d'une injustice de la Providence. Quand il eut gagné son premier million de francs-or, il se dit que, possédant les vertus et la richesse propres à la noblesse héréditaire, il se devait à lui-même d'être noble. A force d'intrigues, de cadeaux, de services, il obtint, non sans peine, non sans avanies, d'adorner son Loubard du blason de l'antique maison de Mirobol, dont le dernier marquis était mort deux siècles auparavant et sans enfant. On lui donna du Monsieur de Puipeu ; les petits journaux l'abreuvèrent de quolibets ; des parents lointains des Mirobol protestèrent ; il n'en tint aucun compte ; mieux, il répondit que c'était par modestie qu'il avait relevé le nom de Mirobol puisqu'il descendait en réalité des Bourbons par un collatéral.

Son ambition ne s'arrêtait pas là. Il avait repris à son compte la formule du fermier général Fouquet : *quo non ascendam,* jusqu'où ne monterai-je pas ? Ayant réussi dans l'argent, les honneurs et dans la naissance rétrospective, il n'avait pas eu le temps de réussir dans la politique ; il se jura de le faire par fils interposé et entreprit de le porter au pouvoir suprême ; son grand dessein à lui.

Ce fils Aimery lui donna d'abord des inquiétudes. C'était un enfant rêveur, doux, timide, renfermé et qui ne sortait de lui-même que pour trépigner et hurler ; à quoi on reconnaîtra le tempérament artiste. De fait, à dix ans il annonça qu'il serait pianiste ou marchand de beurre.

– Comme Duke Ellington ou comme M. Claudel, l'ami de père.

– Vous serez président de la République ou rien, lui dit celui-ci.

Les dix ans qui suivirent furent employés à façonner et à conditionner le futur homme d'État. L'adolescent tenta à plusieurs reprises de se rebeller ; mais, soit qu'il n'eût pas en lui le ressort suffisant, soit que la sollicitude paternelle et maternelle réussît à rendre tolérable un dressage pénible pour un garçon si sensible, il capitula à chaque fois, il capitula toujours. Sa soumission lui valut bientôt sa récompense : à vingt-cinq ans il était député, secrétaire d'État à vingt-huit et ministre à part entière à trente-deux. Et à chaque promotion son père lui offrait un château entouré de cinq cents hectares de terre et de forêt.

La première et la plus importante vertu d'un homme d'État consiste à gagner la confiance de ses concitoyens en se présentant à eux avec des yeux, un visage, un langage débordant de modestie et de loyauté. On peut alors regarder un peuple au fond des yeux ; il est déjà plus qu'à demi aveugle. Le jeune Loubard porta cet art à la perfection. La vertu la plus utile, après celle-là, est l'assurance. Dire aujourd'hui, avec autant de force et de sincérité, le contraire de ce qu'on a dit hier ; faire la même promesse à plusieurs partis et ne la tenir qu'à l'endroit du vainqueur ; conclure secrètement des alliances contradictoires ; appartenir, en temps de guerre civile, à un gouvernement et renseigner la rébellion sur les mesures décidées par ce même gouvernement : ce sont là des manières qui classent un homme politique parmi les plus grands ; le jeune Loubard les adopta si bien qu'il s'en fit une seconde nature. Et, quand d'aventure un de ses très rares amis le taquinait sur sa subtilité, il répondait par une citation tirée des œuvres mêmes du Général :

– La ruse doit être employée pour faire croire que l'on est où l'on n'est pas, que l'on veut ce que l'on ne veut pas.

Car ce jeune homme savait aussi choisir ses professeurs.

Mais il n'est pas de calculateur, si fin soit-il, qui ne commette d'erreur, surtout quand dans son dos un Loucoum refait les comptes. Fin 1961, le grand reptilien fut récompensé de sa longue surveillance : Loubard fut convaincu d'avoir remis aux généraux rebelles, par le truchement de Pénibilis, lequel faisait équipe avec Clapouard, des secrets de la plus haute importance. C'était marcher à la Haute Cour ou marcher droit : on n'hésite pas en pareil cas.

Les grands capitaines se reconnaissent à ce qu'ils ont de la chance, aimait à dire Napoléon. Ce fut la chance du promoteur du Grand Dessein de rencontrer sur sa route, au moment voulu, le père et le fils Loubard. Moyennant la satisfaction de leurs ambitions, ils apporteraient au Grand Dessein la complaisance de la haute Église et l'appui d'une bonne fraction du parti de l'argent, le parti de l'alliance yankie. L'accord se fit aisément ; on était entre gens faits pour s'entendre, et du reste l'idée que leur noble nom serait ainsi lié à la renaissance de la plus grande France les comblait.

Dès lors tout alla bien ; un an environ avant la date fixée pour le départ de Tripou, les conjurés s'attachèrent à démolir dans l'opinion l'image du successeur désigné par l'I.D.R.E., le parti gouvernemental. Ce candidat était Premier ministre : on le calomnia, on le perdit de réputation puis on le limogea. Pour faire pleine mesure, Clapouard, utilement conseillé par le propre adjoint du grand reptilien, fomenta une scission dans l'I.D.R.E. dont une fraction rallia avec éclat la candidature de Loubard. On cria à la trahison ; on hurla que Loubard et compagnie liquideraient l'héritage du Général et rentreraient dans le camp américain ; cela aussi faisait partie du jeu et tout le monde marcha. Deux mois après la disparition ponctuelle de Tripou, Aimery Loubard de Mirobol entrait à l'Élysée. Encore deux mois, le temps des grandes vacances, et le processus du Grand Dessein s'engageait.

Or, du fait de l'immobilisme obligé qui marqua l'interrègne de Tripou, de l'évolution économique et sociale, de la conjuration mondiale, de la hausse du prix des matières premières, mais aussi du fait de l'usure du pouvoir, des campagnes tendant à faire accroire au peuple que la corruption régnait au cœur du régime, du fait enfin des drames provoqués au sein de l'I.D.R.E. par le complot de Clapouard, le scrutin présidentiel connut un résultat douteux. Loubard l'emporta, certes, mais d'une courte tête sur le candidat de la gauche Florentin. La France menaçait de se casser en deux.

Florentin se crut dès lors le vent en poupe ; on ne vit, on n'entendit plus que lui. Nonobstant le respect qu'il affichait pour la Constitution, il parcourut la France et le monde en se donnant pour le représentant attitré de la moitié des Français. Rencontrait-il à Washington le chef de la diplomatie américaine ? Au sortir de l'entretien, il déclarait à la presse, sans sourciller :

– Lui et moi avons le même problème, trouver un moyen de nous entendre avec les communistes.

Une telle assurance, doublée d'une faconde tranquille, s'avéra payante. Dans les six mois qui suivirent l'élection de Loubard, on apprit que plusieurs caciques du parti présidentiel fleuretaient avec la gauche. Il fallait d'urgence porter un coup d'arrêt au processus, sans quoi c'en était fait du septennat, et par voie de conséquence de « France-Bébés ».

Pécus ! Pécus, premier secrétaire du parti communiste français, sauva le Grand Dessein en mettant un terme aux conquêtes de Florentin. Il le fit de la manière la plus efficace et la plus élégante : Florentin s'appuyait sur l'Union de la Gauche, Pécus la dynamita. Il serait aussi déplacé qu'odieux d'accréditer l'idée que le chef communiste appartenait à la conjuration. Une telle adhésion lui eût sans doute fait honneur ; elle lui vaudrait aujourd'hui de figurer à la première page du livre d'or de « France-Bébés » ; mais il n'en est rien. La grandeur de la France, oui, mille fois oui ; la collaboration de classe, jamais : telle était sa position. Il soutint l'entreprise, l'aida de son

164

mieux, la sauva, mais à son compte, à ses propres fins, pour la plus grande gloire de son parti, avant-garde de la classe ouvrière, chair et cœur de la patrie ; cela en raison de l'idée qu'il se faisait de la France et de son rôle dans le monde. Sa participation de fait à « France-Bébés » résulta de la rencontre historique entre ses vues et celles du promoteur du Grand Dessein, non pas d'une concertation.

Les manœuvres qui entourèrent son élection à la tête du parti ont souvent été décrites, et nous ne les mentionnons que pour mémoire. Fin 1971, le secrétaire général en place dut quitter son poste à la suite d'une terrible dépression nerveuse. On dut l'enfermer dans une clinique psychiatrique au Kremlin-Bicêtre où le malheureux errait nuit et jour en criant : « Ils arrivent, ils arrivent ! » Il s'agissait des Russes. Les supputations allèrent bon train quant à son successeur ; deux partants, le numéro deux et Pécus, celui-là vieil apparatchik ayant la confiance des cadres et des partis frères ; celui-ci plus jeune, de tempérament batailleur et, pour appeler les choses par leur nom, mauvais caractère. Ses adversaires à l'intérieur du parti le disaient brouillon, traduisez par aventureux, ce qui est devenu un très vilain défaut chez un révolutionnaire.

On comptait alors trois tendances dans les sphères dirigeantes du P.C.F. : les staliniens non repentis ; les staliniens qui se disaient repentis ; les staliniens qu'on croyait repentis. On désignait encore ceux-ci sous le nom de libéraux, lesquels se subdivisaient en deux groupes ; le premier était converti à un socialisme à visage humain ; le second était converti, mais on ignorait exactement à quoi. Naturellement ces divergences n'apparaissaient jamais dans les débats ou les discussions publiques, et la base du parti les ignorait.

Les trois grandes tendances s'équilibraient à peu près au Comité central, et l'élection du nouveau chef supposait un compromis entre elles, lequel compromis impliquait une condition particulière : que les camarades de Moscou le ratifient. Sans doute avaient-ils depuis des années renoncé à imposer leurs hommes à la tête du P.C.F., mais les Français tenaient compte de leurs desiderata dans les grandes occasions.

Hic jacet lepus : c'est là que gisait le lièvre pour Pécus ; il ne jouissait pas de la faveur des Soviétiques. Dès les premières minutes de la séance du Comité central, on le donna pour battu. Certains camarades avaient une façon de dire qu'excellent militant, patriote et démocrate il n'était pas encore très connu en dehors de l'hexagone (en langage clair cela signifiait qu'on ne le tenait pas pour un internationaliste conséquent), ce qui donnait à penser que le clan des non-repentis, appuyé par Moscou, ne se rallierait pas à sa candidature. Dès leur bulletin de treize heures, les radios périphériques pronostiquèrent sa défaite.

A la surprise générale, il fut élu, et grâce au soutien de Moscou. Les kremlinologues français expliquèrent qu'il y avait eu à la dernière heure un renversement de majorité au sein du B.P. du P.C.U.S. : un des mous avait rejoint le camp des durs, lesquels avaient échangé leur soutien à Pécus contre le ralliement des mous à la nomination d'un dur à la direction du parti en Azerbaïdjan.

Les kremlinologues américains avancèrent une autre thèse : dans la lutte pour la succession future du secrétaire général du P.C.U.S., succession qu'on envisageait dans les dix ans à venir, les durs, qui étaient bien entendu les plus nationalistes, avaient décidé de soutenir

Pécus parce que, étant lui-même très patriote, il conforterait leur clan.

Les kremlinologues anglais se rallièrent à un autre point de vue en se basant sur les renseignements de toute première main que leur communiquèrent leurs bons amis de l'Intelligence Service : les Soviétiques redoutaient l'extension aux partis communistes ouesteuropéens des idées en vogue, idées fausses au gré de Moscou, dans le parti communiste italien. Plusieurs dirigeants de ce parti, poussant à l'extrême certaines propositions de Togliatti, mal interprétées sinon volontairement déviées, caressaient on ne sait quel projet de communisme latin, en opposition au communisme slave. Or Pécus, outre son patriotisme sourcilleux pour ne pas dire son chauvinisme, venait du nord de la France et se trouvait de ce fait dans une impossibilité congénitale à adhérer aux vues italiennes.

D'autres kremlinologues éminents d'autres pays émirent d'autres hypothèses aussi pertinentes. Mais aucun ne s'avisa d'observer dans quelle phase se trouvaient alors les rapports officiels franco-soviétiques. Ils étaient au beau fixe, à ceci près qu'environ six mois avant la mort de l'ancien secrétaire général la direction de l'Armement français avait mis au point un obus thermonucléaire miniaturisé, d'un calibre si petit qu'on pouvait l'utiliser en mortier, et d'une portée utile de douze milles. Tube et charge portaient le nom de leur inventeur, l'ingénieur Biffeton.

Par cette découverte l'armée française se donnait une couverture d'artillerie inégalable, aussi infranchissable que la ligne Maginot ; une ligne de Biffeton étendue derrière une frontière interdisait tout passage. Quand nous en eûmes fabriqué une certaine quantité, le gouvernement fit dire dans la presse par des journalistes généralement bien informés que la République fédérale allemande s'intéressait aux Biffeton. Au bout d'une semaine de spéculations dans les journaux, l'Élysée démentit, mais mollement et en termes généraux, de sorte qu'à Moscou on se dit qu'il y avait quelque chose sous roche, à propos de Biffeton, entre Bonn et Paris. L'ambassade soviétique en France vint aux nouvelles ; on lui fit des réponses évasives. La *Pravda* et les *Izvestia* publièrent des éditoriaux terribles contre les revanchards de Bonn et leurs alliés. C'était en effet manifester un esprit singulièrement revanchard que d'envisager l'installation d'une artillerie défensive le long de sa frontière.

Cette agitation prit subitement fin huit jours après l'élection de Pécus ; dans une conférence de presse, l'hôte de l'Élysée, interrogé par un journaliste accrédité, et dont on savait l'indépendance d'esprit, s'emporta et déclara qu'il s'étonnait des rumeurs qu'on avait fait courir sur une prétendue installation d'engins Biffeton en Allemagne de l'Ouest, près de la frontière de l'autre Allemagne. Il n'en avait jamais été question, il n'était pas même question qu'il en fût un jour question. Se croyant malin, un correspondant américain demanda si le Président voulait faire un commentaire sur l'élection de Pécus au secrétariat général du parti communiste.

— Votre question me surprend, dit le Président sèchement. Le président de la République française, chef de l'exécutif, ne se mêle pas, n'a pas à se mêler des affaires intérieures des partis politiques, quels qu'ils soient.

Il y eut quelques sourires entendus dans l'assistance, encore que les journalistes présents eussent été bien en peine de deviner ce qui s'était passé.

Ainsi qu'on s'en souvient peut-être, on avait créé quelques années auparavant, sous le Général, une grande commission franco-soviétique chargée d'organiser le commerce entre les deux pays. C'est Hapié, alors ministre de l'Économie, qui l'avait constituée et il continuait d'y jouer, en sous-main, un rôle considérable. Il était l'âme de l'amitié franco-soviétique, tout en restant foncièrement anticommuniste. Moscou ne l'en appréciait que davantage.

Au hasard d'un de ses déjeuners mensuels avec l'ambassadeur de Moscou à Paris, il lui tint ces propos :

– Cher Blagorov, la succession prochaine du secrétaire général du P.C.F. nous donne du souci.

– *Da,* répondit Blagorov.

– A vous aussi ? demanda Hapié.

– Bordeaux très bon, dit Blagorov en reposant son verre vide. Bordeaux pas trafiqué, ajouta-t-il en riant.

– Pécus est un bon Français, reprit Hapié en remplissant le verre de son vis-à-vis.

– Communistes bons Français, dit Blagorov.

– Certes, dit Hapié, je l'ai toujours pensé. On l'a bien vu au temps de la Résistance, à partir de 1941.

Ils mangèrent un temps en silence. Hapié reprit la parole.

– Il a été formé par Jeanne Chipy, dit-il en lançant au Russe un certain regard, et le Général appréciait beaucoup Jeanne Chipy.

– Ah ! oui, fit Blagorov, étonné. Quelque chose entre eux ?

169

– Mais non, cher ami, mais non, ce n'est pas ce que je veux dire. Simplement Jeanne, grande patriote, a inculqué à Pécus le sens du patriotisme et de la grandeur française.

– Ah ! la troisième Jeanne de France, dit Blagorov en souriant. Très bon, très bon. Mais très vieille maintenant. Au fait, j'ai oublié nom des deux autres...

– Jeanne d'Arc et Jeanne Hachette, dit Hapié.

– *Kharacho,* fit Blagorov.

– Jeanne Chipy, reprit Hapié, a toujours défendu la famille. Contre vents et marées, et même dans le parti, elle a toujours combattu le malthusianisme. Plus la classe ouvrière fera d'enfants, plus elle sera forte, répète-t-elle. Elle a raison et son disciple Pécus partage son point de vue.

– Canard aux navets fameux, dit Blagorov. Canard sauvage comme chez nous à Velitchi.

– Vous avez une belle datcha là-bas, m'a-t-on dit, reprit Hapié en souriant.

– *Da,* grande datcha, dit l'ambassadeur. J'ai six enfants et dix-huit petits-enfants. Tout le monde à la datcha à la fin de semaine.

Il évoquait ce bonheur familial avec tendresse.

– Dix-huit petits-enfants, dit Hapié, rêveur. Ah ! si chaque famille de France en avait autant ! Tenez, cher ami, si seulement la classe ouvrière...

– Cher ami, dit Blagorov, engins Biffeton très dangereux. Les revanchards de Bonn..., nazis, fascistes...

– Cher ami, dit Hapié, comprenez que la France doit avoir barre sur l'Allemagne, c'est une question de sécurité. Tant que les Français ne seront pas plus nombreux que les Allemands...

– Camembert premier ordre, dit Blagorov. Avec mouton-rothschild, très bon. Donc vous dites qu'avec Pécus vous pourriez plus facilement combattre dénatalité ?

– Certainement.

– L'Union soviétique s'intéresse à une France forte dans le dos des revanchards, dit Blagorov tout uniment.

– Je l'ai toujours dit, fit Hapié.

– Exact, très cher ami, tout à fait exact. Vous êtes un véritable ami, un authentique partisan de l'alliance géographique, comme vous dites, n'est-ce pas ? Mais Biffeton ?

– Rien n'est fait, monsieur l'Ambassadeur, rien n'est fait. Nous voulions vous en parler avant toute décision. Notre traditionnelle amitié...

– Alors à la santé de la France, fit Blagorov en levant son verre de fine. Et longue vie au camarade Pécus !

– Longue vie, dit Hapié, mais il a bon pied bon œil !

– Da, dit Blagorov, mais, comme vous dites, un accident est vite arrivé.

– D'accord, dit Hapié en souriant, mais nous n'avons qu'une parole avec vous, vous le savez bien.

– Ah ! très bien, dit Blagorov. Je transmets dès cet après-midi à Moscou... Nix Biffeton, ajouta-t-il en riant et en vidant un deuxième verre de fine.

Le premier responsable de « France-Bébés » favorisa ainsi l'élévation de Pécus, à l'insu de ce dernier, en tablant sur la fidélité du nouveau secrétaire général à ses idées en matière de natalité, idées qu'il tenait de sa directrice de conscience, Jeanne Chipy. Elle le gouver-

171

nait comme elle avait jadis gouverné le parti, pendant la longue maladie du chef disparu quinze ans auparavant, celui-là même qui s'honorait du beau titre de Meilleur Disciple de Staline.

Est-il au monde chose plus vivace que la fierté nationale des Français ? Pendant des siècles la France s'est targuée d'être la fille aînée de l'Église ; il s'en fallut de peu qu'elle devînt dans l'immédiat après-guerre la fille aînée du stalinisme. Quoi qu'il arrive, le destin de notre pays le conduit au premier rang ; le Général l'a dit et redit, l'Histoire le prouve abondamment.

Il va de soi que si par un extraordinaire malheur Pécus avait abandonné son attachement à la natalité, des mesures extrêmes se fussent imposées, du ressort de Loucoum et de ses services. Mais on fut vite rassuré dans les hautes sphères de « France-Bébés » ; dès sa première apparition à la télé, Pécus attaqua avec vigueur la politique gouvernementale d'aide à la famille.

– On nous dit, le pouvoir nous dit, qu'il faut des enfants à la France. Le Président demande au moins trois enfants par famille. Et moi je dis, et notre parti communiste le dit avec moi, que les belles exhortations ne suffisent pas. Augmentez les allocations familiales, construisez des crèches, donnez à la mère de famille un salaire pour son travail harassant à la maison, allongez le congé de maternité, en un mot frappez à la caisse les trusts capitalistes monopoleurs et donnez leurs super-bénéfices aux familles françaises. Alors, mais alors seulement, vous aurez des enfants.

» Et qui une fois encore donne l'exemple, chez qui compte-t-on le plus d'enfants ? Dans la classe ouvrière, mesdames et messieurs, chers téléspectateurs, la classe ouvrière, sang et chair de notre patrie.

Hapié, en écoutant l'allocution de Pécus, écrasa une larme. Il confia dans une interviouve au *Figaro* que, bien qu'en désaccord sur nombre de points avec le parti communiste français, il ne pouvait qu'applaudir le passage relatif à la natalité. En revanche, le chef du parti socialiste, l'ex-candidat de l'Union de la Gauche, Florentin, se permit au micro d'une radio périphérique une remarque désobligeante à l'endroit de Pécus, en disant qu'il convenait de laisser les Françaises et les Français tranquilles dans ce domaine, que pour son compte il se méfiait des partisans de la natalité à tout prix.

– Nous sommes des êtres humains, pas des lapins, dit-il hors studio aux journalistes de la station.

Ils s'empressèrent de rapporter ce mot à un hebdomadaire satirique, lequel se fit un plaisir de publier en gros titre : « Florentin dit que Pécus est un lapiniste. »

Si Pécus n'avait su de tout temps que Florentin n'était qu'un bourgeois sans principe et dont il fallait se méfier, il l'aurait appris ce jour-là. Mais il eut bientôt un autre motif de fureur : quelques semaines après, à la réunion à Vienne de l'Internationale socialiste, Florentin, agacé par les remarques de ses amis européens qui lui reprochaient son entente avec les bolcheviks français, leur répondit que son objectif était de faire tomber le pourcentage des voix communistes à moins de 15 %. Évidemment, il leur tint ce propos sous le sceau du secret. Le secret mit trois jours à parvenir aux oreilles des dirigeants du parti communiste français, dont les soupçons se trouvèrent ainsi confirmés et au-delà. Depuis la signature de l'Union de la Gauche, les communistes perdaient régulièrement des voix au profit des socialistes. Ceux-ci protestaient de leur loyauté, tout en plumant la volaille rouge.

Pécus réunit le Bureau politique et lui fit admettre une stratégie de repli.

– Nous attendrons vingt ans s'il le faut. Nous autres communistes sommes très patients, et nous n'accepterons jamais que le parti socialiste soit plus puissant que nous. C'est la classe ouvrière qui doit conduire l'Union de la Gauche et non des petits-bourgeois en col blanc.

Il recommanda alors à ses camarades d'encourager la natalité dans la classe ouvrière ; plus elle aura d'enfants, plus il y aura de communistes et les socialistes seront un jour vaincus par le nombre.

– N'oubliez pas, camarades, dit-il, ce que nous enseignait Maurice Thorez.

Il sortit de son sous-main un numéro de *l'Huma* du 2 septembre 1936 pour en lire ce passage, signé du grand secrétaire général de l'époque :

– « Un peuple qui n'a plus d'enfants, c'est un peuple condamné, et nous communistes, qui avons non seulement la conviction mais la certitude que la classe ouvrière conduira un jour le pays vers de nouvelles et radieuses destinées, vers le bonheur, vers la liberté et la paix, nous voulons une classe ouvrière, un peuple nombreux et forts. »

Le Bureau politique approuva les positions de Pécus. La semaine suivante, dans le discours qu'il prononça devant les cheminots du dépôt d'Avignon, fer de lance des travailleurs des chemins de fer, il lança pour la première fois la formule fameuse : « élever la qualité de l'Union de la Gauche », ce qui signifiait, pour ceux qui savaient entendre, que le P.C. allait désormais faire une guerre à outrance aux sociaux-démocrates, jusqu'à ce que ceux-ci se soumettent corps et âme aux volontés de la classe ouvrière.

En réalité, comme il l'expliqua par la suite, Pécus avait compris que Florentin et sa clique, en refusant d'impulser la natalité, ne cherchaient qu'à maintenir la France au deuxième rang, c'est-à-dire sous la tutelle américaine. Dans les mois et les années qui suivirent, la lutte pour élever la qualité de l'Union ne fit que croître et embellir ; si bien qu'en 1977, quand le Grand Dessein s'engagea, les socialistes et les communistes étaient à couteaux tirés. Rien n'était plus favorable au bon succès de l'entreprise posthume du Général.

Le rappel que fit Pécus au Bureau politique de juin 75 des positions natalistes de Thorez valut à son parti, à partir des années 80, un succès d'estime considérable ; il put en effet prouver qu'il avait été le premier, et avec une avance considérable, à activer la natalité, et ce bien antérieurement aux efforts déployés dans le même sens par les pouvoirs publics. Ceux-ci, faute de pouvoir révéler la genèse du Grand Dessein, durent rendre hommage au patriotisme du parti des travailleurs. Dès lors le peuple de France sut que les communistes étaient ses amis les plus dévoués.

Pourtant le succès même de « France-Bébés » faillit coûter cher à Pécus, à commencer par sa place de secrétaire général : on le vit bien lors du 25e Congrès du parti, qui eut lieu, en 1981, à la mairie d'Ivry-sur-Seine, rue Lénine, ex-rue Joseph-Staline, ex-rue de Seine. Le bruit courut qu'il allait être limogé.

Les kremlinologues, qui étudiaient les mouvements internes du parti français à la lumière des luttes d'influence au sein du parti soviétique, s'accordaient à dire que Pécus avait de nouveau perdu la faveur de

Moscou. Ils en voyaient la preuve dans un détail minuscule, mais combien éclairant : traditionnellement, pour la nouvelle année, l'ambassade soviétique à Paris remettait des cadeaux aux camarades du Bureau politique français et on supputait, à l'importance respective de ces cadeaux, le degré de faveur dont bénéficiaient les récipiendaires. Pécus, au mois de janvier précédent, avait reçu en tout et pour tout une bouteille de vodka. Le numéro 2, lui, avait eu droit à un samovar en argent repoussé, à une édition originale, en russe, des œuvres complètes de Maurice Thorez, version 1950, et à cinq lithos signées de Guerassimov. La différence du traitement entre le numéro 1 et le numéro 2 était, en soi, un événement dont on sut, dans les sphères dirigeantes du parti, ce qu'il signifiait.

Dans un premier temps, de voir la France accroître sa population avait ravi les Soviétiques, nos amis, nos alliés ; cela ferait, se disaient-ils, autant de divisions qui prendraient à revers les revanchards allemands, nazis, fascistes ; en outre, plus la France se renforcerait et plus elle se dégagerait de la tutelle américaine.

Mais ils disposèrent bientôt, grâce à leurs antennes dans les milieux dirigeants du P.C.F., de renseignements inquiétants. Pécus, anticipant sur le retour de la France au rang de véritable grande puissance, se laissait aller à d'étranges conjectures.

— Un jour, disait-il, la France aura quatre-vingts, peut-être cent millions d'habitants, et l'Italie, dont la natalité baisse continuellement, n'en aura que soixante. Ce jour-là, qui n'est pas loin, nous serons le premier parti communiste du monde occidental.

— Et alors ? lui demandaient ses camarades.

— Eh bien, camarades, réfléchissez, cette position nous donnera des devoirs et des prérogatives. Pourquoi depuis trente ans le P.C.I. donne-t-il des leçons aux autres partis ? Parce qu'il est le plus puissant, qu'il a le plus grand nombre d'adhérents. N'a-t-il pas été jusqu'à tenter de définir un « communisme latin » ? Qu'est-ce qui nous empêchera, nous autres Français, de parler de la « voie française » au communisme en Europe de l'Ouest ? Hein, qu'est-ce qui nous en empêchera ?

Ce genre de confidences, répétées, déformées (dans un sens qui en majorait le danger, bien sûr) déplurent énormément à Moscou. Ce Pécus, pensa-t-on, est encore pire que ne l'était Ercole, pourtant un peu assassin à ses moments perdus. Si on le laisse faire, quand la France aura ses cent millions d'âmes, il nous donnera des leçons et au besoin s'opposera à nous. Il y a du Mao dans cet homme-là, il faut l'écarter à temps.

Tel est pris qui croyait prendre : en aidant dix ans auparavant Pécus à devenir secrétaire général, Moscou n'avait pas prévu qu'il mettait en selle l'homme qui, un jour, lancerait à l'U.R.S.S. le plus grand défi qu'elle eût connu depuis le maoisme. L'Histoire, comme la Providence, est impénétrable. Mais revenons au 25e Congrès. *L'Humanité* le qualifia à juste titre d'historique, et même de plus historique que les précédents. Dès les premières interventions, on sentit qu'effectivement il soufflait un vent mauvais pour le secrétaire général. Au soir du premier jour, quand il monta à la tribune pour lire son rapport général, dont la lecture devait occuper les quarante-huit heures suivantes, il fut salué par de maigres applaudissements ; en revanche, quand, son rapport lu, le vendredi, il serra la main, avant de regagner sa place, au numéro 2, la salle, comme électrisée, se leva : elle faisait d'avance allégeance à celui qu'elle tenait déjà pour le successeur.

La séance continua ; on désignait déjà les commissions de résolutions quand Pécus demanda au camarade qui présidait la séance de dire quelques mots au congrès. Cela lui fut naturellement accordé, tant était grande la liberté de parole.

– Camarades, dit-il, mes camarades, avant que nous passions à la rédaction des résolutions, je voudrais vous proposer une modification importante des statuts de notre parti communiste français.

L'assemblée se tut, abasourdie. Une modification des statuts, c'était quelque chose d'inouï, qui n'était arrivé que deux fois dans la longue histoire du parti, la dernière étant l'abandon du dogme de la Dictature du Prolétariat en février 1976. Rien de tel ne figurait à l'ordre du jour, il n'en avait nullement été question dans la tribune de discussion que *l'Huma* avait publiée pendant six mois avant le congrès. Sur l'estrade, les membres du Bureau politique et du Comité central se regardaient stupéfaits, inquiets. Pécus, lui, souriait et la certitude qu'il affichait donna à penser qu'il avait préparé soigneusement son affaire et qu'en dépit de tout ce qui avait été dit sur sa disgrâce il ne l'avait pas préparée tout seul : il avait l'air très sûr de lui. Certains jetèrent subrepticement un œil en direction du camarade Léonid Sergueivitch Popov, chef de la délégation du parti communiste de l'Union soviétique, qui siégeait à la place d'honneur parmi les invités étrangers ; ils purent aisément remarquer qu'il était aussi surpris qu'eux. Et cramoisi de colère, en plus.

– Camarades, reprit Pécus...

Il se fit un silence profond. Les journalistes eux-mêmes n'osaient plus prendre de notes et les plombiers de la Direction de la Surveillance du Territoire, qui à cinq cents mètres de là enregistraient tout ce qui se disait dans la mairie d'Ivry, grâce aux micros qu'ils y avaient dissimulés, crurent que leurs appareils étaient tombés en panne. Ils s'en navrèrent : il s'agissait d'électronique ultra-sophistiquée, à eux confiée par la C.I.A.

— Camarades, dit enfin Pécus en gouvernant son regard au-dessus de l'ensemble du congrès, je propose que nous changions le nom de notre parti communiste français.

— Oh ! fit la salle.

Un brouhaha s'éleva, les voltmètres de la D.S.T. firent un grand écart. Au bout d'un long quart d'heure, le président de séance réussit à rétablir le silence. Il s'adressa à Pécus, gravement :

— Camarade secrétaire général, dit-il, nous t'admirons tous. Depuis dix ans nous avons pu apprécier ton dévouement inlassable à la cause des travailleurs dans la lutte de la classe ouvrière contre le capitalisme monopoleur d'État et pour l'amélioration de la qualité de l'union des forces démocratiques et populaires. Mais notre parti communiste français...

Il détacha le dernier mot pour mieux y insister ; il n'alla pas plus loin ; à l'énoncé de « français », la salle se leva d'un seul mouvement et applaudit à tout rompre, tantôt par salves, tantôt en désordre. La délégation des Jeunesses communistes scanda « Français ! Français ! » sur l'air des lampions et pas mal de congressistes les imitèrent. Le tumulte dura dix bonnes minutes. Pécus, à la tribune, laissait passer l'orage, pas du tout impressionné. Son sang-froid finit par faire revenir le calme. Il saisit le micro d'une main, non sans avoir négligemment chassé de sa cravate rouge une hypothétique poussière.

– Puis-je m'expliquer, camarades ? demanda-t-il doucement, avec un rien de hauteur.

Ses grands yeux bleu vif brillaient d'un éclat inaccoutumé.

Le président de séance, subjugué, fit signe que oui. Un silence de plomb tomba sur le congrès.

– Camarades, dit Pécus, un communiste doit toujours savoir distinguer la paille des mots du grain des choses. Je vais vous lire un article paru le 4 septembre 1904 dans le *Proletariatis Brodzola.*

Les murmures recommencèrent. De la salle, plusieurs délégués demandèrent par signes au président de couper le son au secrétaire général manifestement très fatigué. Personne n'avait jamais entendu parler du *Proletariatis Brodzola.*

– Camarades, dit Pécus, il s'agit d'un journal géorgien clandestin et l'article que je vais vous lire est de la plume d'un militant clandestin géorgien nommé Iossip Djougachvili.

– Ah ! fit la salle.

– De Iossip Djougachvili, c'est-à-dire, camarades, de Staline. Du Staline de 1904, gueula-t-il soudain, comme s'il y avait eu dans l'assistance des sourds qui ne voulaient pas entendre.

Ce Staline-là était au-dessus de tout soupçon (du reste, il sentait encore son séminariste) ; le congrès se leva, comme pour une minute de silence, mais se rassit aussitôt en voyant qu'à la tribune les dirigeants étaient restés sur leur chaise. Pécus jeta à ces derniers un regard en biais, sourit et reprit son intervention.

– De Staline, dis-je. C'est un article relatif au nom que portait alors le parti social-démocrate russe, dont Lénine et Staline faisaient partie. Staline y explique, en réponse aux questions de nombreux camarades, que si le parti s'intitulait Russiskaïa, qu'on peut traduire par « concernant l'ensemble de la Russie », ou pan-russe (mais pan-russe n'est pas un adjectif marxiste, camarades), c'est parce que l'autre adjectif auquel on avait pensé, Ruskaïa, avait un sens restrictif, puisqu'il n'indique que ce qui appartient à la nationalité russe. Il a un sens minorisant, moins universaliste que Russiskaïa. Or, disait Staline, le parti doit être ouvert le plus largement possible et pas seulement aux citoyens de nationalité russe, car tout ce qui intéresse la Russie, qui ne contient pas que des nationaux russes, intéresse le parti.

Il se tut, savourant son effet de séance. Impressionné, et d'autant plus qu'il n'avait rien compris aux explications, si dialectiques pourtant, du secrétaire général, le congrès retenait son souffle.

Pécus, lui, laissa passer trois bonnes minutes, toujours l'air froid, toujours sûr de lui. Soudain il approche le micro de ses lèvres à le toucher et crie à pleine gorge :

– Camarades, la France est en train, grâce aux efforts de son peuple guidé par l'avant-garde de la classe ouvrière, le parti communiste français, de se hisser au niveau des grandes puissances. Des millions et des millions d'enfants, la jeunesse, nos frères et sœurs de combat et d'espérance, nous arrivent chaque année. La France qui naît ne sera pas la France d'aujourd'hui, il nous faut la préparer.

» Rappelez-vous ; c'était il y a trente-quatre ans, au congrès de décembre 1946 à Strasbourg. Notre grand camarade Maurice Thorez...

Il s'arrêta pour laisser à la salle les dix minutes rituelles d'applaudissements, debout et par rafales. Quand le bruit eut cessé, il continua :

– Maurice Thorez nous proposa une résolution en faveur de l'Union française. Nous la votâmes parce que, pensions-nous, les peuples coloniaux et sous mandat se libéreraient d'autant mieux de l'impérialisme qu'ils appartiendraient à un ensemble dans lequel le peuple français jouerait un rôle historique d'avant-garde, guidé par son parti communiste. La réaction, les sociaux-traîtres et l'impérialisme américain...

– Hou ! fit la foule.

– ... et l'Union française s'effondra dans le sang et dans la honte.

Il s'arrêta à nouveau et s'épongea le front. Il avait changé de visage. A la sérénité et au sourire du début avait succédé la gravité du chef conscient de ses responsabilités.

– Notre Maurice, s'il était parmi nous aujourd'hui, fit-il doucement...

Sa voix tremblait, l'émotion le gagnait, un frémissement parcourut les rangs du congrès. Ces militantes et ces militants aux nerfs d'acier, durs à la tâche, prêts à risquer leur vie pour la cause, dont beaucoup avaient connu la prison, qui se levaient aux aurores pour vendre l'*Huma* et distribuer les tracts syndicaux, qui ruinaient leur santé à impulser les masses, retrouvaient un cœur d'enfant lorsqu'ils entendaient le nom de Maurice. Et surtout lorsqu'ils l'entendaient prononcer par Pécus avec une sorte de piété filiale : n'avait-il pas été désigné comme successeur par la veuve du grand disparu ?

– Notre Maurice, reprit l'orateur, s'il était parmi nous, il nous dirait, camarades, qu'à une plus grande France il faut un Parti Communiste de France.

» Un par-ti com-mu-nis-te de Fran-ce, répéta-t-il en scandant les deux derniers mots et en levant ses deux mains en V, comme le Général faisait autrefois.

Une explosion. Le congrès, debout, applaudissait, trépignait, sanglotait. Ici on entonna *l'Internationale,* là *la Marseillaise.* Au fond de la salle, une délégation de vieux papas et de vieilles mamans de la banlieue sud chanta *Maurice Thorez a cinquante ans.* Mais pas de cacophonie pour autant : le formidable enthousiasme fondait les hymnes en un seul chant puissant. Sur la tribune officielle, les dirigeants, debout eux aussi, applaudissaient, tournés vers Pécus qui, modestement, baissait les yeux.

La fin du congrès se déroula de façon fort différente de celle qu'avaient prédite les politologues et les kremlinologistes : la résolution présentée par Pécus, tendant à changer le nom du parti communiste français en parti communiste de France, fut adoptée à l'unanimité. Lui-même fut réélu au poste de secrétaire général avec 98,1 % des voix. Une courte discussion s'engagea sur le point de savoir comment on libellerait le sigle : garderait-on P.C.F. ou écrirait-on P.C.d.F. ? On considéra qu'en l'occurrence la préposition ne méritait pas tant d'honneur et puis, en conservant P.C.F., on ferait plaisir à la vieille garde.

Léonid Sergueivitch Popov, en regagnant sa voiture à l'issue de la dernière séance, eut un malaise cardiaque.

CHAPITRE XI

Que de faits, que de décisions ont reçu des explications fausses ou incomplètes ! Il faudrait reprendre par le menu toute l'histoire du premier septennat de Loubard pour rétablir enfin la vérité historique si malmenée aussi bien pendant ce septennat qu'après.

Prenons la création, à l'automne 74, au moment de la première phase du Grand Dessein (France-Porno), d'un secrétariat d'État à l'Égalité des sexes qu'on confia à Zibeline Murmel. On commenta cette innovation en disant que le Président, dans sa volonté de changer et de libéraliser la société, sans omettre la profonde inclination que lui inspirait le sexe féminin, attendait de ce secrétariat d'État qu'il édifiât une législation propre à assurer aux femmes les mêmes droits que ceux dont jouissaient les hommes. C'est exact et c'est incomplet à la fois.

Quelques mois après la collation de ce demi-portefeuille à une femme, le Président prit une autre initiative, non moins inattendue : il nomma le général Bitard, un héros couvert de médailles, un authentique soldat, grand, fort et net, secrétaire d'État auprès du ministre de la Défense. Il fut expressément spécifié qu'il ne s'occuperait que de la troupe, de son moral, de son confort, de son allant, de sa formation.

Ces deux créations : le demi-portefeuille de Zibeline Murmel et le mini-maroquin du général Bitard, sont indissolublement liées, comme les deux faces d'une même médaille ; or personne ne s'en aperçut alors et bien peu le savent aujourd'hui, vingt-cinq ans après.

La nomination de Zibeline suscita dans la presse des mouvements divers : on s'enthousiasma, on approuva, on critiqua, on jeta le quolibet ; les uns trouvèrent l'idée du Président merveilleuse de progressisme, les autres la jugèrent dangereuse parce qu'elle ouvrait aux femmes des horizons que leur nature ne leur permettait pas d'atteindre : on reconnaît là les tenants de la réaction. L'élévation de Bitard au rang de demi-ministre provoqua elle aussi des remous, mais en sens inverse. Les partisans du conservatisme le plus étroit, les hommes d'ordre, l'accueillirent avec une extrême satisfaction : le soldat serait désormais commandé, un esprit nouveau allait être insufflé à l'armée. A l'autre bord, chez les révolutionnaires et les anarchistes, ce fut, comme d'habitude, un concert d'injures et de malédictions. Bitard fut traité de brute, d'imbécile, de vantard. Comme il exigeait que les hommes s'adonnassent au sport, et il payait d'exemple, on affecta de le présenter comme un homme sans cervelle, n'ayant que des muscles : tout dans le mollet, rien au-dessus.

Certains observateurs s'étonnèrent, pourtant, de la distorsion existant, selon eux, entre cet acte de progrès qu'était la création du secrétariat à l'Égalité des sexes et cet acte de conservatisme qu'était la dévolution à Bitard du soin de veiller au maintien de l'ordre dans les armées, en attendant qu'il le maintînt par elles dans la nation.

Il n'y avait pas de distorsion : Bitard était là pour

rassurer ses admirateurs, à son insu du reste, pour les tranquilliser, les neutraliser afin que Zibeline pût sans trop de difficultés mener à bien la tâche pour laquelle on l'avait désignée. Mise en fonctions à l'automne 74, elle commença par d'humbles réformes ayant toutes trait à des ajustements juridiques. Elle reçut énormément de femmes, on la vit plusieurs fois par semaine à la télévision ; elle devint très populaire et occupa, dès le printemps 1975, la tête des sondages d'opinion. On disait d'elle dans le pays : rien de ce qui est féminin ne lui est étranger.

A l'automne 76, la grande affaire du Parlement fut, comme le veut la tradition, la discussion et le vote de la loi de finances. L'usage demande aussi qu'en cette occasion les titulaires des portefeuilles ministériels fassent un grand discours pour défendre leur budget et définir leur politique. Zibeline Murmel monta à la tribune le 18 octobre et parla quatre heures d'affilée. Ce fut l'événement de la saison.

– Monsieur le Président, mesdames, messieurs, le budget du secrétariat d'État à l'Égalité des sexes, que je vous présente aujourd'hui, est en augmentation de 175 % sur celui de l'an dernier, comme vous avez pu le constater à la lecture des livrets bleus qui vous ont été distribués. La raison de cette augmentation sans précédent tient à la création de quatre cent douze centres d'information spéciaux. Qui s'informera dans ces centres, mesdames et messieurs ? Les jeunes femmes entre dix-huit et vingt-et-un ans. De quoi s'informeront-elles ? De l'armée. Car, mesdames et messieurs, à la demande du président de la République, le gouvernement a résolu de pousser l'égalité des sexes jusqu'au bout : tout comme les hommes, les femmes françaises feront désormais le service militaire !

L'Assemblée nationale explosa littéralement. La majorité gouvernementale, debout, applaudit à tout rompre, à l'exception de la fraction centriste, qui applaudit mollement. Les radicaux de la gauche modérée se levèrent mais n'applaudirent pas ; leurs collègues de la gauche avancée applaudirent distraitement mais sans se lever. Le groupe socialiste ne se leva ni n'applaudit, se contentant de racler des pieds le plancher. Enfin les communistes se mirent à taper en cadence sur leurs pupitres.

Zibeline Murmel se tourna vers eux et lâcha un seul mot :

– Sexistes !

– Sexistes-léninistes, jeta un député de l'I.D.R.E.

– A Moscou, fit un centriste modéré, les femmes font leur service comme les hommes.

– Oui, mais l'Armée rouge est au service de la paix, elle, rétorqua un communiste.

– Comme en Hongrie ? demanda quelqu'un.

– Parlez-nous plutôt du Chili, dit un socialiste.

– Mesdames et messieurs, je vous en prie, gardez votre calme, pour que Mme la Secrétaire d'État à l'Égalité des sexes puisse présenter son budget à la représentation nationale, dit le président.

Le tumulte finit par s'apaiser et Zibeline put reprendre son exposé :

– L'égalité des sexes signifie aussi l'égalité des chances...

– Bravo ! s'écrièrent en chœur les députés de la majorité présidentielle, dont le E du sigle de leur parti, l'I.D.R.E., était justement là pour Égalité des chances,

I signifiant Indépendance nationale, D, Défense tous azimuts, et R, Réforme.

– L'égalité des chances, poursuivit Zibeline, implique que les jeunes hommes ne supportent pas seuls le handicap du service militaire. D'autre part, nombre de jeunes filles se sentent diminuées par ce refus qui leur est opposé, depuis toujours, de servir la France au même titre que les garçons. Le pays de Jeanne d'Arc, mesdames et messieurs...

Une vague d'applaudissements et de bravos submergea sa voix. Au nom de Jeanne d'Arc, toute l'Assemblée se leva, à commencer cette fois par les communistes qui portaient et portent toujours à la sainte nationale une dévotion toute spéciale.

– Le pays de Jeanne d'Arc se doit de montrer l'exemple en ce domaine, et il le montrera !

Elle parlait sans aucun effet oratoire et sa simplicité portait. C'était une personne d'environ soixante ans, fort soignée, toujours mise à la dernière mode et qu'un grand figaro parisien venait coiffer tous les matins à son secrétariat d'État. Elle figurait parmi les dix femmes les plus élégantes du monde. C'est par devoir envers ses sœurs, disait-elle, qu'elle apportait tant de soins à sa présentation ; étant leur déléguée, leur mandataire, elle voulait que les hommes vissent en elle une image impeccable de la Française.

Toute sa vie elle s'était fait une certaine idée de son sexe ; dès ses débuts, lorsqu'elle joua de tout petits rôles plastiques et muets dans des music-halls, ou lorsqu'elle travailla comme assistante dans les studios de cinéma, elle s'appliqua à se conduire avec les hommes comme ceux-ci le faisaient avec les femmes, nonobstant les remarques désobligeantes que lui valait le machisme d'alors. Plus tard elle fonda un journal qui défendit le droit de la femme à l'égalité, et même à un peu plus : le droit à se faire martyriser par amour si elle le désirait. Pourquoi, disait-elle, les femmes ne pourraient-elles pas se faire enchaîner, battre, brûler au fer rouge, coudre les lèvres ici et là, arracher les tétons, découper les fesses, etc., alors que les hommes peuvent impunément se faire déchirer à coups de talons-aiguille, couper le pénis en petites tranches, émasculer à coups de dents ? Au nom de quoi réserverait-on le sado-masochisme aux mâles ? Et, pour bien montrer qu'elle pensait ce qu'elle disait, elle fit publier dans son journal les pages les plus saignantes d'un livre dont l'héroïne subissait, par amour, les pires tortures et les plus douloureuses perforations.

Ces sentiments la classaient dans les rangs de la gauche avancée ; aussi le choix que fit d'elle Loubard de Mirobol pour le secrétariat à l'Égalité des sexes surprit quelque peu ; n'avait-elle pas publiquement appelé à voter pour son adversaire lors du scrutin présidentiel ? Son acceptation du poste suscita maint ricanement chez ses anciens congénères politiques ; elle s'en expliqua en disant qu'avec Loubard, qu'elle avait combattu, elle pourrait agir, alors qu'en restant avec ses propres amis, dans l'opposition, elle perdrait son temps et ferait perdre leur temps aux femmes, ce qui serait beaucoup plus grave.

Notre souci d'exactitude nous oblige à dire qu'elle ignorait elle-même la véritable raison de son recrutement, qu'en outre ce ne fut pas Loubard qui eut l'idée de la désigner comme secrétaire d'État, mais les deux promoteurs du Grand Dessein qui, en la faisant nommer par leur homme à l'Élysée, avaient calculé

190

que la réputation, les sentiments de Zibeline faciliteraient énormément, dans le monde féminin, l'acceptation des profondes réformes de la condition féminine que supposait la mise en œuvre de leur plan, à commencer par l'extension aux filles du service militaire. On doit également noter que de prime abord, quand Loubard l'entreprit sur ce chapitre, elle regimba ; elle répondit que le service militaire ne lui semblait pas être un tel progrès pour ses sœurs ; bref, elle ressortit ses vieilles suspicions à l'égard de l'armée. Loubard savait l'art de combiner la fermeté et le tact ; il l'écouta sans se départir de son sourire courtois.

– Chère Zibeline, lui dit-il, l'extension à la femme du service militaire est une question de principe : l'égalité des droits pour les deux sexes implique l'égalité des devoirs. Si nous la refusons, nous assisterons prochainement à la rébellion des Français contre la situation exorbitante faite aux femmes parce qu'elles ont autant de droits qu'eux et moins de devoirs.

– Mais elles ont le handicap des enfants, dit Zibeline. Tant qu'on n'aura pas trouvé le moyen de faire des enfants autre part que dans le ventre des femmes...

– C'est un handicap de moins en moins lourd, dit Loubard. Grâce aux réformes que nous avons entreprises, la mentalité et les mœurs changent, les hommes s'occupent de plus en plus de leur progéniture et dès le berceau. Dans quelques années l'égalité à l'intérieur du ménage sera une réalité. Quant à la grossesse, les quatre mois de congés entièrement payés compensent les inconvénients que vous évoquez. A ce propos, ajouta-t-il comme incidemment, alors que tout son discours tendait vers cette déclaration, à ce propos je crois qu'il serait bon qu'on augmentât un peu la durée de ce congé-grossesse pour les filles qui se trouveront enceintes pendant leur service militaire. Étant sous la tutelle de l'armée, il sera normal que l'armée les aide, n'est-ce pas ?

Mais revenons-en à la loi de finances.

— Le gouvernement a fait de cette égalité des deux sexes devant le service militaire une question de principe, dit Zibeline. Naturellement, nous étendrons à l'armée les mesures que nous avons d'ores et déjà appliquées, concernant la mixité, dans tous les établissements scolaires ; comment oserions-nous séparer les jeunes hommes et les jeunes femmes dans les locaux militaires alors que nous les faisons vivre ensemble enfants et adolescents ?

— Eh bien ! ça fera du propre ! s'écria un député de la droite la plus bête du monde.

Cette interruption provoqua des rires dans toutes les travées.

— Messieurs ! s'exclama le président, messieurs, je vous en prie ! Où vous croyez-vous !

— Et où croyez-vous qu'on veut envoyer nos filles ? s'écria un député socialiste, orateur habituel de la tendance modérée de son parti.

— Et quelle idée vous faites-vous donc de vos filles, monsieur, si vous les croyez incapables de se déterminer elles-mêmes ? lui lança superbement Zibeline.

Elle eut les rieurs de son côté, la majorité l'applaudit bruyamment.

— Est-ce à dire que les dortoirs seront mixtes, eux aussi ? s'inquiéta un autre député.

Alors on entendit une voix de stentor s'élever du banc du gouvernement :

– Ça suffit comme ça. Nos p'tits gars ne méritent pas qu'on parle d'eux comme ça. Ils sont ce qu'ils sont, mais ce sont de bons p'tits gars qui aiment le pays et qui font leur devoir. Je les connais bien, moi. Je compte sur eux, moi. Ils sont propres, ils sont purs. Ils aiment leur mère, ils respectent la femme. Il n'y aura pas de dortoirs mixtes obligatoires, les gars et les filles choisiront eux-mêmes, nous sommes en République, s' pas ? Pourvu qu'ils servent le pays, qu'ils soient disciplinés, qu'ils aient les cheveux coupés réglementairement, leur vie privée ne regarde personne. Moi, Bitard, je n'autorise personne à douter de la moralité du conscrit. Voilà. Excusez mon langage, mais je ne cache jamais ma pensée. Je ne suis qu'un soldat, moi.

Un silence formidable se fit : Bitard avait, une fois de plus, maté la rébellion dans l'œuf. Il y eut encore quelques escarmouches, mais de moindre conséquence, et le budget du secrétariat d'État à l'Égalité des sexes fut voté, portant création de bureaux de renseignements pour les jeunes filles.

Quelques jours plus tard, étant désormais sûr qu'il ne rencontrerait pas d'obstacles dirimants à son adoption, le gouvernement déposa sur le bureau de l'Assemblée nationale un projet de loi étendant aux citoyennes l'obligation du service militaire de douze mois entre dix-huit et vingt et un ans, sauf les cas d'exception et de sursis prévus par la législation en vigueur. L'article 16 de la loi telle qu'elle fut votée stipule : « Toute appelée qui se trouvera en état de grossesse pendant la durée du service, à condition que la conception soit intervenue pendant cette même durée

193

du service, aura droit à une permission spéciale de six mois pendant laquelle lui sera versée une indemnité spéciale au moins égale à deux fois le salaire minimum interprofessionel de croissance, même si une partie de ces six mois dépasse la durée légale du maintien sous les drapeaux. »

Les feuilles satiriques et les chansonniers s'emparèrent de ces stipulations pour dire que les jeunes Françaises passeraient la première partie de leur temps de service à s'envoyer en l'air et l'autre moitié à faire un enfant aux frais de l'armée. En revanche, la presse sérieuse et les infodemasses commentèrent ce changement avec beaucoup de sérénité. On remarqua l'éditorial du *Figaro,* intitulé : « Fraîche et Joyeuse » : « Depuis plusieurs années, écrivait le rédacteur en chef, nous déplorions la désaffection dont souffrait l'armée : nos jeunes gens s'en détournaient de plus en plus, et cet état d'esprit menaçait les fondements mêmes de la défense nationale. En instituant le service militaire des filles, le gouvernement va donner à la vie militaire un sourire, une séduction qu'elle avait perdus. Ceux des jeunes Français que n'attirait plus le maniement des armes, comment résisteront-ils au plaisir de fréquenter quotidiennement, dans une ambiance fraternelle, leurs compagnes d'hier et de demain ? Ainsi disparaîtra cette frustration affective d'un autre âge, ainsi naîtra la nouvelle armée française, plus allante, plus soudée, plus forte que jamais. »

La loi sur le service militaire des filles entra en vigueur, comme on le sait, le 1er janvier 1980. Aujourd'hui, près de vingt ans après, on ne peut que constater l'aberration de ceux qui tentèrent de s'y opposer : les filles se présentèrent massivement aux bureaux de recrutement et le taux d'insoumission féminine fut inférieur au taux masculin, le plus faible cependant du monde occidental. Quant aux craintes relatives à on ne sait quelle atmosphère de permissivité que certains avaient manifestées, elles s'avérèrent très exagérées ; dans la première année, le nombre de naissances prises en charge par l'armée s'éleva à 142 000 seulement, pour un contingent, filles et garçons, de quelque 650 000 individus. Le chiffre des naissances augmenta ensuite régulièrement pour se stabiliser, dans les années 85, au niveau où il s'est maintenu jusqu'à nos jours, soit autour de 180 000 par an, pour un contingent qui tourne désormais autour de 900 000.

On voit que la proportion est cependant supérieure au taux de naissances dans la population civile. En fait, pour parler comme les démographes, l'indice conjoncturel de fécondité dans l'armée française se situe bon an mal an autour de 3,60, alors qu'il est de 3,31 dans le reste de la population des mêmes classes d'âge. On sait que pour l'ensemble du pays il s'établit à 3,26 : on mesure le progrès accompli lorsqu'on se souvient que cet indice était tombé, en 1975, à 1,9 quelque dix-huit mois avant l'entrée en vigueur de « France-Dîme », la deuxième phase du Grand Dessein ! Cependant, la réforme militaire si joliment introduite par Zibeline Murmel a entraîné une conséquence d'une tout autre portée et dont l'influence sur le cours de l'histoire de ces dernières années a été considérable. D'elle, en effet, est sortie l'Armée de Métier Française.

Il se trouvera peut-être des exégètes qui s'aventureront à écrire un jour que le Général, en organisant avant et après sa mort le Grand Dessein, ne visait qu'à réaliser un de ses rêves les plus chers : donner à la

France une armée de métier ; ne l'avait-il pas préconisée bien avant la seconde guerre mondiale ?

Depuis la fin des guerres coloniales et des avantages moraux et matériels qu'elles apportaient aux engagés volontaires, les jeunes Français boudaient l'armée. En vain le gouvernement multiplia-t-il ses appels, en vain augmenta-t-il la solde, rien n'y fit : les garçons de vingt ans, craignant de s'ennuyer dans la carrière des armes, s'en détournaient. Ils trouvaient la vie civile beaucoup plus attrayante. Tout changea, et en un clin d'œil, lorsque les filles furent appelées au service. Plus d'un garçon qui eût auparavant refusé avec dédain de se porter volontaire se précipita pour signer un engagement de cinq ans renouvelable par tacite reconduction. En 1980, première année de la conscription féminine, on compta 342 621 candidats. L'an d'après (et alors, détail significatif, que le chômage avait disparu dans notre pays), on en compta plus de 452 000 ! L'autorité militaire, jusque-là, se lamentait devant le petit nombre et la faible qualité des sous-officiers et des officiers de carrière. A partir de 1980, ce fut le contraire : il y avait trop de volontaires. Elle eut beau compliquer les examens d'entrée, elle ne put enrôler tous les postulants. Elle dut appliquer une sélection draconienne. Comme de bien entendu, il y eut des passe-droit ; certains jeunes gens, simples licenciés par exemple, entrèrent dans l'armée de métier alors que des agrégés et des docteurs ès sciences en étaient refoulés. Plusieurs députés interpellèrent, accusant le ministre et l'état-major de favoriser systématiquement les fils à papa ! Ceux-là mêmes, disaient ces parlementaires, qui, grâce à leurs relations, se faisaient autrefois réformer ou planquer, se font aujourd'hui recruter de la même manière et de préférence à des garçons qui valent mieux qu'eux.

Passons : toute entreprise humaine souffre inévitablement de la faiblesse inhérente à notre nature. Le résultat le plus clair de l'engouement de la jeunesse pour le métier des armes fut que le gouvernement et l'état-major purent enfin constituer un corps de bataille permanent, toujours prêt, d'une qualité humaine et technique indépassable.

En 1985, les attachés militaires des ambassades étrangères eurent l'occasion, pour la première fois, d'assister au déploiement de ce fer de lance lors des grandes manœuvres qui eurent lieu en Champagne : trente divisions pentatomiques, avec aviation, artillerie nucléaire, fusées sol-sol, sol-air et air-sol, emplirent l'espace de leur fracas. Les spectateurs, des professionnels blasés pourtant, n'en crurent pas leurs yeux. Six mois après, l'Assemblée générale des Nations Unies décidait, à l'unanimité moins la voix des États-Unis, de transférer son siège en France. Les nations sont comme les hommes : elles savent ce que parler veut dire. On le vit bien, du reste, entre 1986 et 1990, lors de notre retour dans toute l'Afrique, au Liban et en Syrie : nous y revînmes à l'appel des populations locales, certes ; sans contredit, ce fut une promenade militaire. Mais qu'en eût-il été si nous n'avions disposé de la première armée de métier du monde ?

CHAPITRE XII

A la fin du printemps 1987, l'École des hautes études démographiques communiqua aux pouvoirs publics que les sondages effectués à Paris et dans plusieurs régions de France au cours du dernier trimestre faisaient espérer un nouveau progrès de l'indice conjoncturel de fécondité. L'Élysée décida de procéder à un recensement général sur tout le territoire de l'hexagone, seule méthode sûre de savoir où on en était exactement dix ans après le lancement de l'opération « France-Bébés ».

Compte tenu de la marge d'erreur habituelle de 2 % en trop ou en moins, la consultation donna un chiffre global de 75 millions de Français, soit une augmentation d'environ 15 millions d'âmes – et d'âmes jeunes – depuis janvier 1977. Les infodemasses s'emparèrent de ce succès et le commentèrent à tire-larigot. Événement inouï : *le Monde* y consacra son éditorial de première page, qu'il avait jusque-là toujours réservé à un événement de politique étrangère. Mais ce soudain essor de la France n'était-il pas, d'une certaine façon, un grand événement mondial ?

Tous les politiciens, ceux de la majorité comme ceux de l'opposition, firent des pieds et des mains pour passer à l'antenne et à la télé : ils tenaient beaucoup à associer leur nom à ce triomphe national. Ludovic Hapié, interrogé par les radios périphériques, ne cacha pas sa joie :

– Je suis heureux de constater, dit-il, que les Françaises et les Français ont enfin compris où était l'intérêt de la France, qui est supérieur à la somme des intérêts particuliers de chacun de nous.

» Mais je ne m'étonne pas de ce résultat. Je rappellerai qu'en 1962, il y a un quart de siècle, peu de temps après la signature des accords d'Évian, qui nous séparèrent, provisoirement certes, de notre province algérienne, le Général déclara publiquement que la France se devait à elle-même et au monde d'avoir une population de 100 millions d'âmes. Je rappellerai encore que le 10 novembre 1975, dans une interviouve à l'hebdomadaire *l'Express,* un ancien proche collaborateur du Général dit ceci, je cite : « La nation devrait compter de 75 à 130 millions d'habitants. » Je constate avec joie que nous en sommes aujourd'hui à ces 75 millions. Ce n'est qu'un début, continuons le combat. Françaises, Français, retroussons nos manches !

L'École des hautes études démographiques, après une analyse approfondie des chiffres du recensement, établit qu'on pouvait d'ores et déjà tabler, pour l'an 2000, sur 110 millions de Français, dont les deux tiers âgés de moins de vingt ans, ce qui ferait de la France la nation la plus jeune du monde.

Hapié et Loucoum n'étaient pas hommes à sabler le champagne ou à faire la fête. Ils analysèrent à tête reposée les diagrammes et les projections de l'École des hautes études démographiques. Ils en examinèrent aussi l'aspect humain.

– Vois-tu, Loucoum, dit Hapié, nous devrions

faire quelque chose pour ces Françaises et ces Français qui donnent tant d'enfants à la France.

– Oui, dit Loucoum, mais quoi ?

– Je pense à une distinction. Nos compatriotes sont friands de décorations.

– Excellente idée, dit Loucoum. Une médaille ? un ruban ?

– Oui, un ordre qui serait calqué sur celui de la Légion d'honneur, avec ses grades.

– Tout à fait d'accord. Comment pourrait-on l'appeler ?

Ils passèrent la nuit à chercher une appellation digne d'une aussi importante distinction. Ordre de la Famille française, Médaille commémorative de l'Union, Légion de la Fécondité française, etc. Après bien des essais, ils s'arrêtèrent à une formule latine, *Galliae Magnitudo,* c'est-à-dire Grandeur française, motif pris que le latin donnait à la chose un je-ne-sais-quoi de plus solennel et de plus rare.

L'ordre de Galliae Magnitudo, en abrégé G.M., comporte cinq grades : chevalier, officier, commandeur, grand officier et grand maître. Ce dernier appartient d'office à la fonction présidentielle, comme la Légion d'honneur. Le ruban est vert, la couleur de l'espérance, bordé d'un liséré rouge, la couleur du sang. L'avers de la médaille représente Marianne entourée d'une multitude de têtes blondes et brunes. Le revers s'orne d'un coq gaulois entouré de sa devise : *COÏTO ERGO SUM.* Ce discret hommage au philosophe français par excellence, Descartes, fut hautement apprécié dans le milieu universitaire. Le 14 juillet 1988 eut lieu la première remise de G.M. à trente pères et mères de familles nombreuses, à l'issue du défilé militaire, dans les salons du palais de l'Élysée. Les deux premiers officiers avaient quatorze enfants. Ce n'est qu'en 1990 que fut fait le premier commandeur, un Réunionnais qui élevait trente-cinq enfants, dont vingt et un garçons, issus de trois mariages consécutifs. A l'heure actuelle, les « gentils membres », comme on les appelle dans le peuple, du nouvel ordre se comptent au nombre de 1 574, dont six grands officiers, dix-sept commandeurs et cinq cent trois officiers ; on voit que ses créateurs ont su éviter le laxisme qui marque l'attribution de certaines autres distinctions.

Mais les Français seront toujours les Français ; faute de pouvoir obtenir cette marque publique de réussite, nombre d'hommes et de femmes portèrent à la boutonnière ou sur leur corsage des macarons qui, pour n'avoir rien d'officiel, indiquaient cependant l'état d'esprit civique de leurs porteurs. Ces macarons, de la surface d'une pièce de cinquante centimes, signalaient par un chiffre doré sur fond bleu de France le nombre d'enfants dont s'honorait celui ou celle qui l'arborait. On vit à la même époque naître la mode des étiquettes autocollantes apposées sur la vitre arrière des voitures ; certaines de très bon goût, comme « Je viens de faire mon devoir, et vous ? » ou bien « A vingt ans j'en ai deux », ou encore « A chacun son bébé », « Des Français pour la France », etc. ; d'autres étaient d'un goût plus douteux. N'en citons qu'une : « Trois d'un coup, qui dit mieux ? »

Ces messieurs de l'Académie Goncourt, d'abord fort réservés à l'égard du Grand Dessein, attitude qu'on inscrivit au compte du durcissement de leurs artères, finirent par se mettre au goût du jour en couronnant, le 21 novembre 1987, le roman d'une jeune mère de famille de neuf enfants ; elle avait à peine vingt-sept ans, c'était son premier livre. Le thème, fort original : les difficultés qu'éprouve une fille de quatorze ans, enceinte, à sortir de l'enfance. L'ouvrage, tout imprégné d'un délicat parfum d'inceste, connut un succès considérable. L'Académie française, elle, fit moins de manières : à partir de 1980 elle donna systématiquement son Grand Prix du Roman à un auteur, homme ou femme, qui pouvait justifier de cinq enfants viables au moins. L'un après l'autre, les jurys littéraires se plièrent à cette loi non écrite, mais impérative puisque correspondant à la mentalité nationale, et on peut dire qu'à deux exceptions près, depuis 1990, tout écrivain appétant à une récompense publique doit d'abord fonder une famille nombreuse. Finies la bohème, l'errance, l'irresponsabilité ; à chacun selon son dû.

A noter cependant que plusieurs officiers et chevaliers de *Galliae Magnitudo* obtinrent le ruban sans justifier du nombre minimal d'enfants. Heureuse exception à la règle : ce sont des personnes qui ont bien mérité du Grand Dessein à raison de leurs travaux. Nous avons déjà fait connaissance plus haut avec l'une d'elles ; il s'agit du jeune diplomate qui eut l'adresse de convaincre le représentant du Vatican, à la Commission Pénibilis, d'accepter la position du Missionnaire Aérien (voir le chapitre relatif à « France-Porno »). Le bon succès de sa démonstration eut pour effet que la Conférence nationale de l'Épiscopat entérina publiquement cette position, ce qui incita nombre de couples catholiques à la pratiquer, pour le plus grand succès de « France-Bébés ». On fit également officier le chimiste qui mit au point la pilule défaillante, ainsi que le maître de recherches du C.N.R.S. qui raffina la découverte de son collègue en inventant la pilule gémellaire ; elle favorisait, dans une proportion de 30 %, la fécondation de deux ovules en même temps. On en connaît le résultat : le pourcentage de jumeaux est passé en France, pendant les vingt dernières années, de 0,7 % à 7 % : le décuple ! A l'heure actuelle, une Française sur six a une bonne chance d'avoir des jumeaux à chaque accouchement. On travaille ferme à l'amélioration de la formule : outre une bourse de un million de francs 1990 (cinq fois le franc de 1975 !), l'heureux découvreur sera fait grand officier de *Galliae Magnitudo* : G.O. de G.M., la distinction la plus haute qu'un Français puisse obtenir. Inutile d'ajouter qu'aucun étranger ne peut recevoir l'ordre, à moins de se faire naturaliser et de remplir alors les conditions imposées aux nationaux.

Une saine émulation saisit tous les corps de métier : il y eut des breloques, des briquets, des porte-clés, des flacons de parfum, des bougies et jusqu'à des vibromasseurs frappés de ce coq aux ailes éployées, prêt à cocher une poule qu'on ne voyait pas, qui figurait sur la médaille de *Galliae Magnitudo*. Les chansonniers s'en donnèrent à cœur joie, et voici, pour la petite histoire, car on l'a bien oubliée depuis, la bleuette qui fit fureur en 1982, au Caveau de l'Empire, à Paris. On en fit un disque qu'on vendit à plus de quinze millions d'exemplaires : un foyer sur trois eut le sien.

LE BÉBÉS-BOOM
(Sur l'air de « Prosper yop là boum ! »)

Couplet :

Pour que nous soyons prospères
Nation sans rivale

Premier peuple de la Terre
Patrie sans égale ou *Gloire hexagonale* (1)
Il faut faire des petits Français
Comme s'il en pleuvait ·
Des bruns, des blonds, des châtains
Et même des rouquins.

Refrain :

Bébés, bébés boum
C'est la java des naissances
Bébés, bébés boum
C'est le retour de la France
On a r'trouvé la grandeur
Et la joie de vivre
Vous allez voir la couleur
De ce qui va suivre !

A vrai dire, *Bébés-boum* provoqua une manière de scandale : le parolier avait primitivement écrit et publié *Baby-boom*. Quelques jours après, *le Nouvel Obs* se fit l'écho de la voix formidable du très vieux et très cher Étiemble, notre maître à tous, le plus subtil, le plus mandarinesque érotomane du siècle. Il avait alors plus de quatre-vingt-dix ans, ne dételait pas. Cinquante ans durant il avait bataillé pour l'épiderme selon Chamfort et contre le franglais ; il avait l'offensive et presque la victoire ; depuis les années 75, un décret du gouverne- ment aidant, tout mot, toute expression anglo-améri- caine étaient bannis du vocabulaire français ; mieux,

(1) Variante de la 3ᵉ édition.

205

une commission mixte franco-créole fonctionnait à Baton Rouge, pour veiller à la pureté de l'idiome national parlé là-bas. Cette commission, on s'en souvient, avait été fondée au lendemain du voyage triomphal de Loubard en Louisiane, au cours duquel il avait prononcé la phrase historique : « Comme vous êtes français ! Vive la Louisiane libre ! »

« Non au *Baby-boom,* vive le *Bébés-boum* », dit Étiemble en substance dans son interviouve au *Nouvel Obs,* et de mettre ses compatriotes en garde contre le retour insidieux des anglicismes dans notre langue. En l'occurrence, le franglais était particulièrement haïssable puisqu'on l'utilisait pour désigner ces êtres français par excellence qu'étaient les bébés de France.

Dès les années 80, la presse étrangère s'intéressa à l'envolée de la démographie française, cherchant à en découvrir la raison. Incapable, et pour cause, de déceler les ressorts bien cachés du Grand Dessein, elle mit l'événement au compte de l'orgueil collectif des Français, de leur prétendue incapacité à accepter plus longtemps leur situation de puissance de deuxième ordre. A quoi la presse de chez nous répondit que, si la France avait pu donner l'impression, pendant un quart de siècle, d'une sorte de passage à vide, il ne fallait pas en déduire que cette faiblesse durerait éternellement, qu'un pays qui a été grand pendant douze siècles, depuis Charlemagne, pouvait se permettre un retrait de l'avant-scène de l'Histoire pendant vingt-cinq ans. « En France le provisoire ne dure pas », écrivit à ce sujet le directeur du *Monde.*

Cependant l'agitation des journaux, des radios et des télés étrangères attira sur les événements français l'attention de toute une catégorie de personnes que les questions relatives à la sexualité, à la natalité et aux joies qu'on en retire ne laissaient pas indifférentes ; nous voulons parler de la gent féminine. A lire et à entendre qu'en France les femmes avaient renoué avec l'antique mentalité de leur sexe, qu'elles y trouvaient plus de bonheur qu'elles n'en retiraient naguère des faux-semblants du féminisme des années 70, ces étrangères, elles-mêmes fatiguées de l'agitation des mouvements qui prétendaient les libérer, de la guerre des sexes, de cette animosité qui constituait désormais le fond des rapports entre les femmes et les hommes, lasses pour tout dire d'une société pas assez avancée pour ce qu'elle avait de libéral et beaucoup trop libérale pour ce qu'elle avait d'avancé, selon le mot d'un philosophe marxiste converti au bouddhisme zen, furent de plus en plus nombreuses à vouloir observer de leurs yeux ce qui se passait sur le promontoire de l'Europe de l'Ouest. Qu'à cette ambition légitime, tout droit sortie du besoin de connaissance que les femmes ressentent depuis près d'un siècle et qu'elles ne pourront jamais assouvir parce qu'il ne répond pas à leur nature, se soit ajoutée une curiosité de caractère plus superficiel, par exemple le désir d'expérimenter *in vivo* cette *furia francese* dont parlaient les infodemasses, c'est probable et, au fond, non moins légitime. Toujours est-il qu'à partir des années 80 une multitude de jeunes femmes d'Europe, d'Amérique et d'Asie déferla sur l'hexagone en quête d'aventures avec les mâles français.

Il se produisit quelque chose qui se peut comparer au phénomène qui affecte une monnaie forte quand elle sert de refuge aux capitaux flottants : une trop grande demande rompt l'équilibre du marché ; apparaît l'hydre de l'inflation. D'un bout à l'autre de l'année, mais surtout au printemps, les Français se virent assaillis par des essaims d'Américaines, de Suédoises, de Brésiliennes, d'Allemandes, de Polonaises, d'Indiennes, de Russes, de Kirghizes, de Turques, d'Ouraliennes, de Mongoles, de filles de pure race Han, d'Africaines et jusqu'à des Samoyèdes sentant la graisse de renne. Toujours disposés à faire une démonstration des qualités de leur sang, les Français répondirent positivement à la demande, et certains d'entre eux en firent profession. Une pompe s'amorça, dont le débit s'accrut tant qu'en 1983 les pouvoirs publics, inquiets d'une hémorragie plus grave encore, à leurs yeux, qu'une fuite du franc, réagirent. Tout comme le faisaient les Suisses dans les années 70 qui frappaient d'un taux d'intérêt négatif les capitaux flottants qui se mettaient à l'abri dans les banques fédérales, le gouvernement français décréta une taxe spéciale visant tout individu nubile du sexe féminin entrant en France, impôt connu sous le nom de « chatounette », du nom de l'inspecteur des finances Chatounet, qui en établit l'assiette. Plusieurs parlementaires protestèrent, motif pris de l'injustice d'un impôt indirect qui frappait également toute femme pénétrant sur notre territoire sans tenir compte du nombre de rencontres qu'elle y ferait. Le ministre des Finances reconnut la justesse de l'objection dans son principe ; il fit remarquer que procéder autrement nécessiterait la création d'un corps de contrôleurs spéciaux, très nombreux, dont la tâche serait ingrate, qui coûterait fort cher au Trésor ; sans oublier que leurs investigations, leurs surveillances, leurs contrôles contreviendraient aux libertés dont la France se targuait, avec raison, d'être le héraut. On vota la chatounette, qui l'an dernier, en 1998, quinzième année de son existence, a rapporté près de 2 milliards de francs 90.

L'engouement des étrangères pour la science et la vertu amoureuses des Français provoqua des remous dans la population féminine de l'hexagone ; ses porte-parole demandèrent que soit tari, à tout le moins limité, le flux des femmes d'outre-frontière, de sorte que les Françaises fussent les mieux servies, et les premières, par leurs compagnons nationaux. Des mouvements féministes manifestèrent dans les rues pour l'établissement d'un quota. Dans notre société libérale avancée, une telle exigence ne devait ni ne pouvait être reçue ; il y allait en outre du prestige de la France à l'extérieur, sur quoi aucun régime n'a jamais transigé, même au temps de la quasi-décadence. En fait, ce que le gouvernement ne voulait pas proclamer ouvertement, et on le comprend, c'est que la ruée sur la virilité française servait admirablement son mondialisme, politique inaugurée vingt ans auparavant, lors de son premier mandat, lorsque démarra « France-Bébés », par le président Loubard de Mirobol. Quitte à mécontenter un peu les femmes de notre pays, il n'était pas question, en irritant ces foules d'étrangères, en les frustrant, d'entamer le crédit international de notre pays, d'affecter son rayonnement. Président de la République, président de la Nouvelle Communauté, président de droit de l'Europe des Patries, le chef de l'État, au fond de son palais du Louvre où on avait regroupé tous ses services, veillait d'abord à maintenir, à agrandir si possible, notre hégémonie en Europe, notre poids spécifique dans le monde. Sur un signe de sa main, qu'il décidât de modifier les rapports entre le nord et le sud de la planète, qu'il voulût instituer un nouvel ordre économique entre les pays riches et les pays en voie de développement, ou qu'il désirât tout simplement faire un safari à Chambord en leur compagnie, les chefs des gouvernements d'Europe, d'Amérique, d'Afrique et d'Asie accouraient ; c'était un résultat acquis de haute lutte, c'était l'objectif politique suprême imparti par le Général au Grand Dessein : il fallait le préserver à tout prix. Au diable les exclusives lancées par des Françaises, une minorité d'ailleurs. Les autres, l'énorme majorité, silencieuse, elle, faisaient des enfants et les faisaient bien.

Cependant, dans un souci d'apaiser, de huiler les rouages de la machine sociale, dans le but aussi d'améliorer le rendement de « France-Bébés », les autorités décidèrent de mettre à la portée de toutes les Françaises un moyen simple et efficace de procréer, sans être soumises aux caprices de mâles très occupés, lesquels caprices ne coïncidaient pas toujours avec les impératifs temporels de la nature féminine. Il s'agit de l'ouverture, dans chaque chef-lieu de canton et dans toute commune de plus de cinq cents habitants, de guichets de la Banque nationale du Sperme. Elle comptait quatre départements : Sperme français métropolitain, Sperme français caraïbe, Sperme français arabo-berbère, Sperme français africain.

Fondée dans les années 65 sous l'égide de la Fondation nationale de France, la Banque du Sperme avait jusque-là végété. En 1985 elle prit son véritable essor grâce à une découverte technique qui fut l'application à ce domaine particulier des principes de l'autogestion. Jadis la collation à une candidate à la grossesse d'une dose de sperme nécessitait un processus fort encombrant : clinique spécialisée, infirmières, gynécologues et tout ce qu'une telle intervention présentait de traumatisant pour une femme déjà assez humiliée de n'avoir pas su ou pu se faire féconder par les moyens habituels.

Nous exceptons bien entendu les célibataires désireuses d'éviter le contact, ou une cohabitation, même de courte durée, avec un homme. C'est ce processus qu'on abolit en mettant à la disposition des candidates un appareil individuel d'insémination, qui épousait la forme d'un phallus.

Muni d'une pile électrique de faible voltage, il simulait le coït ; au bout d'un certain temps, un mini-ordinateur capable de juger l'état de réceptivité de la récipiendaire déclenchait l'ouverture d'une capsule aseptique située au fond du vibreur et contenant une dose de sperme. On installa dans les villes et les gros bourgs des distributeurs automatiques offrant aux intéressées les quatre qualités du sperme français : il leur suffisait d'introduire dans une fente le jeton de métal magnétisé que les municipalités distribuaient gratuitement à chaque personne du sexe féminin à raison de un par an. Le dispositif original, qu'on fabriquait en plusieurs dimensions, pouvait fonctionner, une fois le sperme émis, autant de fois qu'on le désirait : il suffisait d'en changer la pile quand elle s'usait. Son inventeur, un polytechnicien des chemins de fer qui lors d'une tournée d'inspection sur Paris-Marseille s'était ému de la solitude dont souffraient certaines voyageuses, reçut le canapé de *Galliae Magnitudo* de la main même de Pénibilis, ministre de l'Intérieur. La cérémonie eut lieu quelques semaines avant la mort de ce personnage qui joua le rôle que l'on sait dans le succès du Grand Dessein ; la décence interdit qu'on rapporte les circonstances de sa fin, analogues à celle du président Félix Faure au début du siècle. On peut cependant dire que le ministre eut tort, à son âge, de tenter encore de se mettre en situation de procréer ; s'il s'en était abstenu, il aurait conservé à la France un homme d'État qui lui manque cruellement aujourd'hui.

L'extension à l'ensemble du territoire national de la distribution du sperme français n'alla pas sans difficultés. Autrefois, quelques douzaines de donneurs suffisaient à honorer la demande ; il en fallait maintenant des dizaines de milliers. Là encore le gouvernement prit l'initiative en instituant la Journée nationale de la Semence française et paya d'exemple.

Pendant toute une semaine, les infodemasses menèrent une campagne d'incitation à la générosité. Chaque soir, sur les différentes chaînes de télé, MM. Delmard et Guy Truc, dont les émissions folkloriques touchaient le cœur des chaumières, prononcèrent quelques mots bouleversants pour encourager les hommes entre seize et soixante-dix ans à se présenter le dimanche suivant dans les mairies où les attendaient les préleveuses, dont beaucoup étaient des bénévoles formées sur le tas.

Ce dimanche-là, après la grand-messe que le gouvernement suivit en corps constitué à Notre-Dame de Paris, pendant laquelle messe le cardinal Charpil prêcha sur le psaume 461 : « *Euntes ibant et flebant, mittentes semina sua* » (Ils allaient et venaient, peinaient, répandant leur semence), le président Loubard, suivi du Premier ministre Clapouard et de tous les autres membres du cabinet, se rendit à l'Hôtel de Ville où les attendaient les bureaux du Sénat, de l'Assemblée nationale, du Conseil économique et du Grand Parlement de la Communauté ; les directeurs des cinq Académies ; le conseil d'administration de la Fondation de France ; les directeurs généraux de la Banque nationale du Sperme ; le directoire du Rotary Club ; les présidents des Associations des Anciens Combattants et des Régiments

212

dissous ; le Comité de la Flamme du Soldat inconnu ; les chefs du Service de l'action civique ; enfin les Compagnons du Phallus.

Ces derniers animent une entreprise philanthropique régie par la loi de 1901 ; elle fonctionne comme « S.O.S. Ames en détresse » : tout Français éprouvant des difficultés à remplir son devoir de géniteur peut appeler au téléphone une des hôtesses du Phallus. On les choisit, après une sélection sévère, en raison du timbre de leur voix, de la suavité de leur intonation, en un mot de leur pouvoir oral d'incitation. Leur meilleur argument provient du mot d'ordre lancé par Loubard, pour un autre objet, il est vrai : la décrispation.

– Décrispez-vous, susurrent-elles de leur voix enjôleuse, décrispez-vous doucement, lentement, gentiment, un peu plus vite. Là, un peu de calme, moins fort. Pensez à Brigitte, à Mireille, à Emmanuelle. Etc.

Elles passaient alors le disque d'une chanson écrite sur un poème où décrispe rime avec pipe, et dont l'effet sur les hommes en détresse était dû bien davantage à la voix de la chanteuse, une voix à la Joan Baez, qu'aux paroles au demeurant assez banales.

Il était bien rare qu'au bout d'un quart d'heure l'homme en perdition n'ait pas retrouvé la plénitude de ses moyens.

Les Compagnons du Phallus sont subventionnés sur le budget du ministère des Beaux-Arts et aussi par des contributions volontaires ; nombre de ceux qui ont bénéficié de leurs conseils se font un plaisir de leur adresser un chèque.

Revenons à l'Hôtel de Ville, devant lequel les honneurs militaires furent rendus par un escadron d'artilleurs de Metz ; on voulait ainsi honorer la cité qui détenait alors le record national de l'indice conjoncturel de fécondité. Après un séjour d'environ une heure un quart dans le local préposé au prélèvement, Loubard reparut, pâle et défait, ce qu'on mit sur le compte de l'émotion, prit un bain de foule sur la place du Général-de-Gaulle et rentra se reposer dans ses appartements du Louvre. Ce dimanche-là on recueillit rien que pour l'hexagone 1 234 568 doses et, pour l'ensemble de la Nouvelle Communauté, 7 436 876 doses. La moisson fut jugée bonne.

Sans vouloir attrister ce récit, nous devons à la vérité historique de signaler les incidents pénibles qui marquèrent cette grande journée. Pour des raisons physiologiques bien compréhensibles, les autorités médicales avaient fixé à seize et soixante-dix ans l'âge minimal et maximal en deçà et au-delà desquels on n'accepterait par les donneurs volontaires. Nombre de garçons de moins de seize ans tentèrent, par pure curiosité, peut-être aussi pour faire comme les grands, de tromper la vigilance des mairies et des recueilleuses ; certains y réussirent, mais la plupart furent aisément écartés. En revanche, il se produisit des scènes douloureuses avec des septuagénaires, des octogénaires et même des nonagénaires qui, voulant à toute force accomplir un ultime devoir civique, annoncèrent un âge moins avancé pour avoir l'honneur du prélèvement. En vain leur opposa-t-on le règlement, le bon sens, la qualité de la vie : ils s'accrochèrent et en plusieurs endroits on dut appeler la police ou la gendarmerie et faire ramener chez eux, *manu militari,* ces patriotes dont le zèle dépassait les moyens. Notons enfin – après la contrariété le sourire – que les journaux relatèrent les événements de cette journée dans la bonne humeur :

214

« La France entière se met en branle », écrivit *le Quotidien de Paris,* dont le directeur, avec ses quinze enfants, était le premier père de famille de sa corporation.

L'enthousiasme qui animait les Françaises et les Français fut cause de difficultés qui défrayèrent la chronique et que, selon leur manie, les infodemasses déformèrent outrancièrement. On eut ainsi à déplorer la mort subite de plusieurs vieillards. Le Conseil de l'ordre des médecins, qui perdit près de la moitié de son bureau dans les circonstances qu'on devine, publia un communiqué mettant en garde les plus de quatre-vingts ans contre de trop fréquentes tentatives de rapports ; le communiqué s'attacha à démythifier les produits chimiques ou naturels prétendus aphrodisiaques dont l'effet le plus certain était de fatiguer des cœurs déjà passablement usés.

Une affaire délicate éclata à Loudun, où une demi-douzaine de jeunes moniales se procurèrent, on ne sait comment, des auto-inséminateurs et s'en servirent si bien qu'elles tombèrent enceintes. Pour une raison inconnue, elles avaient choisi le sperme caraïbe. L'évêque ordinaire dont elles dépendaient leur ordonna d'abord le secret puis s'enquit auprès de Rome de ce qu'il devait faire. Certes, disait-il dans son rapport, le droit canon interdit formellement l'avortement, mais le scandale que déclencherait l'accouchement de ces filles qui avaient fait vœu de chasteté serait si grand et si dommageable à la religion qu'il demandait si on ne pourrait pas agir à leur égard comme le pape avait permis qu'on le fît dans les années 60 avec des nonnes du Congo belge que des Noirs en révolte avaient violées et engrossées : on les avait débarrassées en clinique de ces fruits doublement impies ; les révoltés étaient en effet animistes.

L'affaire de Loudun se fût probablement réglée de cette manière, sans bruit, si une de ces moniales, dans une intention du reste honnête, puisqu'elle voulait donner un enfant à son pays, n'avait prévenu un journal local de ce qui se tramait. Le journal publia la nouvelle en l'assortissant d'un commentaire dont on imagine la virulence : « La France d'abord, monseigneur ! » La Curie, peu soucieuse d'en découdre avec Paris, renvoya le dossier à la Conférence nationale de l'Épiscopat français qui, lors de sa session de Lourdes, y consacra une journée de débats. On y joignit un autre point délicat : la participation de maint ecclésiastique à la Journée de la Semence française. Certes, dans les dix années qui ont suivi la deuxième partie de Vatican II, l'Église a jeté bien du lest ; sans aller jusqu'à autoriser le mariage ou le concubinage public des prêtres, elle a admis, *de facto,* non *de jure,* qu'ils prissent des libertés avec le vœu de chasteté. Mais de là à tolérer l'insémination artificielle, fût-elle autogérée, chez les moniales ou à accepter que les prêtres donnassent leur semence comme n'importe quel laïc, il y avait un gouffre.

Le cardinal archevêque de Lyon, primat des Gaules, qui présidait la session de Lourdes, lut lui-même à la presse les conclusions de la conférence épiscopale :

– Premièrement, en ce qui concernait les prêtres volontaires pour le don du sperme, ils ne seraient autorisés à le faire que pendant leur séjour sous les drapeaux (si tant est qu'ils fussent ordonnés à ce moment-là), car une telle contribution faisait obligatoirement partie du service militaire. ·

» Deuxièmement, en ce qui concerne les moniales de Loudun, elles n'avaient en tout cas pas péché mortellement, par rupture de leur vœu de chasteté, puisqu'il n'y avait pas eu de coït *stricto sensu.*

– Est-ce comparable à l'Immaculée Conception ? demanda un journaliste du *Figaro.*

Le cardinal archevêque fit de la tête signe que non. Et poursuivit :

– Troisièmement, l'Épiscopat français s'en tenait fermement au canon 2350, paragraphe 1 : « Ceux qui produisent *(procurantes)* un avortement... encourent, si l'effet a été obtenu, une excommunication *latae sentenciae* réservée à l'ordinaire ; de plus, s'ils sont clercs, qu'ils soient déposés. »

» En outre, ajouta le cardinal, le crime est si grave que les traités de droit canonique précisent ceci : « L'excommunication est réservée non au propre ordinaire mais à n'importe quel ordinaire. »

C'était une pierre dans le jardin de l'évêque de Loudun : s'il autorisait l'avortement, non seulement ses moniales seraient excommuniées au besoin par un autre évêque que lui mais lui-même serait déposé !

Bref, l'Épiscopat français repoussa avec énergie toute idée d'avortement pour les religieuses loudunaises.

– C'est la voie ouverte à l'auto-insémination dans tous les couvents de filles ! s'exclama le chroniqueur religieux de *l'Aurore,* un dominicain qui passait pour rétrograde.

Le cardinal primat ne releva pas l'insolence. Cette affaire provoqua des mouvements divers à Rome ; le pape élu quelques années auparavant était français, mais il n'avait pas encore eu le temps de dompter toute la Curie, et surtout pas la haute Église italienne qui répandit le bruit qu'on assistait à la résurgence, trois siècles après Louis XIV, de l'hérésie gallicane. Ces vieillards en pourpre ne pouvaient pas concevoir que ce qu'ils appelaient une hérésie allait bientôt devenir la loi de l'Église.

CHAPITRE XIII

.

Nos concitoyens nés depuis 1974, l'année du changement, ne peuvent guère se faire une idée de ce que fut notre pays avant cette date ; ne parlait-on pas du désert français ? De nos jours, pendant les vacances, enfin étalées de mars à octobre, des millions et des millions des nôtres voyagent, de Dunkerque à Tamanrasset ; ils empruntent le bateau à Nice, à Marseille ou à Sète pour se rendre sous le soleil de l'Afrique française. De la mer du Nord à la Méditerranée, ils traversent une seule et même agglomération ; pas de discontinuité dans le tissu urbain, pas une fausse note ; le Morvan lui-même, naguère désolé, s'orne de gratte-ciel, de complexes industriels. Les prairies ont presque toutes disparu, grâce à l'extension de la stabulation en circuit fermé : la chimie organique métropolitaine et les oléagineux africains nous donnent une viande de premier choix.

Au cours des années 70-80 il était possible, dans de nombreuses régions de France, de parcourir des cinquante kilomètres sans rencontrer une agglomération de plus de cinquante feux. Songeons que nous ne nous comptions que 52 millions, y compris les « travailleurs immigrés », comme on appelait alors nos compatriotes d'Afrique du Nord et des tropiques. La preuve est faite de ce qu'affirmait Ludovic Hapié il y a trente ans : la

France peut contenir et nourrir plus de 100 millions d'êtres ; 150 y tiendront tout à leur aise aussi bien.

Décrire les changements économiques, sociaux et culturels que la réussite du Grand Dessein a provoqués, directement ou non, reviendrait à dresser un tableau complet de la France de l'an 2000 ; c'est au-delà de nos moyens et de nos ambitions. Contentons-nous d'esquisser ici les principaux aspects du changement.

Ce qui frapperait le plus une personne qui débarquerait aujourd'hui en France après une absence d'un quart de siècle, ce serait à coup sûr la transformation du paysage, du visage de notre pays. Et si cet homme arrivait à Nice, à Marseille ou à Sète, il ne reconnaîtrait pas la côte ; ce n'est qu'une ville ultra-moderne s'étendant de Monte-Carlo à Port-de-Bouc sur une profondeur de deux à quatre kilomètres et dans laquelle Marseille fait tout au plus figure d'un point de fixation, d'un pivot. Comment notre voyageur supposé n'admirerait-il pas en même temps l'ingénieuse architecture qui, dans le but de préserver la vue sur la mer aux habitants les plus éloignés du rivage, a ménagé une urbanisation en gradins ? Les gratte-ciel du premier rang ne comportent qu'un maximum de 25 étages ; ceux du deuxième rang en ont 40 ; 60 pour le troisième et enfin 90 pour la quatrième ligne. C'est dire que les locataires des derniers rangs conservent la vue sur la Méditerranée pardessus les logements installés devant les leurs. Détail typique de cette volonté de sauvegarder, voire d'améliorer la qualité de la vie : les bureaux, les usines, les magasins, les parcs de stationnement, les services sont regroupés dans les étages inférieurs des constructions les plus éloignées de la rive, de façon à laisser les étages supérieurs à l'habitation proprement dite. Les constructions du dernier rang sont établies sur pilotis d'acier, afin de libérer une place suffisante aux autoroutes et aux échangeurs urbains et interurbains. Il y a vingt-cinq ans il n'existait qu'une seule autoroute d'Aix-en-Provence à Nice. Nous en avons aujourd'hui huit, et on déplore toujours des embouteillages.

Quand, dans les années 60, on entreprit d'édifier des tours de cinquante étages, il se trouva des gens pour protester, motif pris qu'on détruisait l'aspect traditionnel des villes françaises. On avait déjà entendu ce genre de critiques lors du montage de la tour Eiffel, à la fin du XIXe siècle. Quelques décennies avant, n'avait-on pas lu, sous la plume de Thiers, que les chemins de fer, en empoisonnant par la fumée des locomotives l'herbe que broutaient les vaches, tueraient les enfants au biberon ? Les détracteurs du progrès utilisent n'importe quels arguments. Les complexes en fer et béton de la Défense, du Front de Seine à Paris, de l'Isle d'Abeau à Lyon provoquèrent les mêmes cris d'enragés ; on lança des campagnes de presse, les architectes reçurent des menaces de mort. Le temps a passé, ce grand apaiseur : aujourd'hui les tours de la Défense et d'ailleurs font figure de chaumines auprès des super-gratte-ciel de 100 étages et plus qu'on a dû édifier pour abriter nos dizaines de millions de nouveaux compatriotes. Chaque arrondissement de nos grandes villes s'enorgueillit de sa tour des Naissances où se regroupent maternités, crèches et hôpitaux pour enfants. La plus grande de toutes, 156 étages, sise à l'emplacement des anciennes Halles, au cœur de Paris, porte le nom du professeur Debré, un des plus grands pédiatres français. L'un dans l'autre, on traite dans ces bâtiments spécialisés 1 500 bébés-jour.

Ne le cachons pas : ce boom de la construction a entraîné quelques abus ; certains promoteurs ont surtout édifié des fortunes colossales au point qu'en 87 les pouvoirs publics ont sévi, en rétablissant la peine de mort pour les spéculateurs à la construction. Deux requins particulièrement scandaleux ont été guillotinés ; cela a suffi pour dissuader les autres. Comme quoi l'exemplarité de la peine de mort n'est pas une chimère.

Qu'avec une population aussi nombreuse et aussi jeune la France ait pris la tête, vers 1990, de la révolution postindustrielle n'étonne personne et nous ne nous appesantissons pas sur ce point. Que la nécessaire solidarité nationale, notamment dans les budgets sociaux, ait provoqué une relative austérité en matière de consommation, par rapport aux années 70, voilà ce que tout le monde comprend et accepte de grand cœur : la Grandeur de la nation vaut bien quelques sacrifices. De même a-t-on dû reporter à soixante-dix ans l'âge de la retraite ; il est vrai que les progrès de la médecine y ont aidé. Lorsqu'on a de 4 à 5 millions de bébés de plus à nourrir chaque année, on ne gaspille pas. Mais déjà nos nouveau-nés des années 80 commencent de s'insérer dans la vie active ; encore une vingtaine d'années et la France, forte d'une masse de travailleurs de plus de 85 millions d'hommes et de femmes, détiendra et de loin le record mondial du produit national brut par tête d'habitant.

Laissons là la statistique : ce qui a le plus changé en France, depuis l'accession au pouvoir du président Loubard, c'est incontestablement la mentalité collective de notre peuple ; quiconque a vécu ce changement a du mal à en croire ses yeux et ses oreilles. La nation française du troisième quart du XXe siècle, consciente de son vieillissement, de sa quasi-décadence, du peu de considération que l'étranger lui accordait, s'aigrissait ; les querelles politiques menaçaient pour un oui ou pour un non de dégénérer en guerres civiles ; des grèves éclataient pour des motifs futiles ; la police elle-même se croisait les bras à tout bout de champ ; on assista même, fin 75, à cette chose inouïe : la tentative d'introduire le syndicalisme dans l'armée, tentative que le général Bitard brisa dans l'œuf, selon son habitude. Des pêcheurs en eau trouble s'agitèrent : un député de Nancy ne tenta-t-il pas de soulever sa province, la Lorraine, au nom d'un régionalisme de mauvais aloi ? Son exécution dans la caponnière de Vincennes mit un terme à la rébellion.

Non que le gouvernement ait voulu ainsi casser une fois pour toutes le pouvoir régional ; il l'a constitué depuis ; mais les temps n'étaient pas venus. Créer avant 90 des assemblées et des exécutifs provinciaux élus, c'eût été à coup sûr, vu l'état des esprits, susciter autant de mouvements indépendantistes et déchirer en morceaux la tunique de la patrie.

Peut-on fixer une date à la première modification sensible de la mentalité nationale ? Ce genre d'exercice est périlleux ; l'évolution dans ce domaine se fait par gradations, on ne s'en rend compte qu'au bout d'un certain temps, à l'occasion d'un événement qui tranche par sa brutalité ; c'est l'accumulation de nombreux petits faits qui, en fait, provoque les grandes mutations.

Prenons par exemple la décision de transformer notre régime politique. Le Général avait fondé, il y a quarante ans, une monarchie constitutionnelle élective, qu'on continua à appeler République tant est grande chez nous la force de l'habitude. C'était dans son esprit une première étape, la seconde et dernière devant être l'instauration d'une monarchie constitutionnelle héréditaire. Pour nombre de raisons, cette évolution ne se pouvait faire rapidement ; d'abord le Général lui-même, qui se tenait plus pour un régent que pour un monarque, ne désirait pas qu'un de ses enfants lui succédât, ne les estimant pas capables de soutenir le poids d'une telle charge. Ensuite, et on mesurera par là la profondeur de ses vues, il calcula que la monarchie héréditaire ne fonctionnerait correctement qu'à la condition que le monarque régnant eût une famille assez nombreuse pour pouvoir choisir parmi ses enfants le plus capable de lui succéder, mâle ou femelle puisqu'on a abrogé la loi salique, sur les instances de la secrétaire d'État à l'Égalité des sexes, Zibeline Murmel. Du fait de la nouvelle mentalité correspondant aux succès du Grand Dessein, il irait de soi, pensait le Général, que le chef de l'État serait obligé, pour être élu et surtout réélu, d'avoir une famille nombreuse ; il faudrait un extraordinaire malheur pour qu'il ne se trouvât pas parmi ses enfants un héritier idoine. Ainsi le changement de régime, tel qu'il l'avait voulu, supposait la réussite de « France-Bébés ».

De fait, Loubard Ier n'aura aucune peine à découvrir parmi sa douzaine d'héritiers celui ou celle qu'il estimera, après consultation du Conseil des Pairs, le plus à même de lui succéder. Les paris sont d'ores et déjà ouverts – qui empêchera les Français de jouer au tiercé ? – et le peuple donne pour dauphin, à huit contre un, le puîné des enfants du roi, Émouchet.

Ce quadragénaire tiendra-t-il autant qu'il promet ? Seul l'avenir le dira, qui appartient à Dieu. Mais les circonstances familiales et publiques lui sont favorables ; outre l'affection que lui voue le peuple, et l'admiration, ses onze frères et sœurs sont là pour l'aider, le conforter. On les connaît bien grâce à la télévision, qui ne manque pas une occasion de nous les montrer dans toutes leurs activités, et ils ne s'accordent pas de repos. L'aînée, d'abord, Salangane ; Émouchet (le dauphin, selon la presse), puis les autres aux si jolis noms : Passerine, Courlis, Gloréole, Duc, Fauvette, Casoar, Bouvreuil, Guillemot et la petite dernière Rupicole, qui va sur ses dix ans.

Seuls les quatre derniers ne sont pas encore établis ; les sept autres sont, ensemble, à la tête de cinquante-huit enfants et, déjà, de quatorze petits-enfants pour Salangane, Émouchet et Courlis. Plusieurs mariages sont annoncés pour le printemps prochain et on attend de ces unions, dans les premières années du XXIe siècle, une floraison exceptionnelle d'héritiers. La rumeur attribue à Loubard Ier la volonté de réunir autour de son lit de mort, quand il plaira à Dieu, cent dix fils et petits-fils issus de lui et par lui donnés à la France. Pourquoi cent dix ? Parce qu'en plus des lieux privilégiés chers aux surréalistes il existe des nombres sacrés ; pour Loubard, 110 est de ceux-là. Aucun mystère en ce calcul : le retour du Général aux affaires est de 1958 ; c'est de cette année que tous les Français qui réfléchissent datent le rétablissement de la monarchie dans notre pays. Or celle-ci a été abolie en 1848, soit cent dix ans avant le Retour. Un enfant mâle par année, telle est la rente que le Roi veut payer à Notre-Dame la France pour son long veuvage.

Que le but ultime du Grand Dessein ait été, par le moyen de « France-Bébés », la restauration de la monarchie constitutionnelle héréditaire comme régime répondant le mieux aux vœux des Français et à la Grandeur de la France, il n'en faut pas douter : Louis-Philippe n'est-il pas le symbole même du Français éternel ?

Il suffit de considérer l'Histoire nationale pour constater que la France n'a été grande que sous ses monarques ou ses empereurs ; que le système des partis a toujours et immanquablement engendré une décadence ; le Général l'a dit et redit dès son retour d'exil, il y a plus de cinquante ans ; il le pensait et l'écrivait déjà dans sa jeunesse ; ce n'est pas par hasard qu'on a gravé une de ses sentences sur le piédestal de la statue élevée, sur une place de Martigues, à Charles Maurras.

Les premiers mouvements en faveur de la restauration ne vinrent pas, comme tout un chacun a pu le voir, des pouvoirs publics : ils vinrent du peuple lui-même ; nous touchons là du doigt la transformation de la mentalité collective. Il n'est pas certain, au demeurant, que les promoteurs du Grand Dessein, Hapié et Loucoum (Loubard n'en fut qu'un exécutant, le premier, certes), aient reçu de leur maître l'ordre de faire attribuer la couronne à Loubard ; il semblerait même qu'ils eussent pour consigne de rétablir les Orléans ou, si l'héritier de cette maison se montrait par trop insane, les Anjou-Braguette. Le temps leur a sans doute manqué, pris de court qu'ils ont été par la précipitation populaire. Mais ignoraient-ils que le peuple français adore les rois, allant même jusqu'à chérir ceux des autres quand il n'en a pas un bien à lui ?

La toute première manifestation de cette volonté sortant des profondeurs de la nation se fit à Cholet, en Vendée, le 21 janvier 1998, lors de la remise par Loubard en personne, selon la tradition, du diplôme du Plus Beau Bébé de France, qu'avait obtenu un enfant né d'une famille locale. Cette cérémonie, très populaire en

226

France, attire toujours beaucoup de monde. Les familles se livrent à une intense émulation pour avoir l'honneur de participer au concours, qui s'organise d'abord au niveau des arrondissements, puis des départements, de la province et enfin à l'échelon national. L'enfant primé est pris en charge par l'État jusqu'à sa majorité.

Sur la place Cathelineau, à Cholet, cent mille personnes au moins attendaient Loubard. Quand il parut sur le parvis de l'hôtel de ville, portant dans ses bras le bébé vainqueur, la foule se mit spontanément à crier :

– Vive le Roi ! Vive Loubard Ier !

En vain chercha-t-il à les faire taire ; en vain tenta-t-on de couvrir leurs voix par le *Chant du Départ,* joué à pleins cuivres par la fanfare municipale ; rien n'y fit : jusque tard dans la nuit, en dépit du froid, le peuple vendéen demanda le roi.

Une même scène se reproduisit un mois plus tard à La Roche-sur-Yon, à Rochefort, à Angoulême, à Saint-Brieuc, à Caen, à Strasbourg, à Bordeaux, à Périgueux, etc., à telle enseigne que Loubard, de plus en plus gêné par cette situation qu'il n'avait pas souhaitée, songea à annuler la revue du 11 novembre 98 qui devait revêtir une solennité particulière du fait que c'était le quatre-vingtième anniversaire de l'armistice de 1918 et que pour la première fois dans l'Histoire le président de la République allemande, vivement sollicité à vrai dire par Paris, avait accepté d'y assister. Loubard s'ouvrit de son idée à Ludovic Hapié et à son Premier ministre Clapouard. Après une longue réflexion, ils répondirent par la négative : il ne fallait surtout pas annuler le défilé.

– Mais si le peuple, messieurs, crie encore « Vive le Roi » ? demanda le Président en pâlissant.

– *Vox populi, vox Dei ;* la France profonde a toujours été monarchique, le Général me l'a dit, dit Hapié.

– Vive le Roi ! s'écria Clapouard, qui, dans un mouvement naturel, se jeta à genoux pour baiser la main de Loubard, lequel, dans un geste de bonté, aida son Premier ministre, qui allait sur ses soixante-dix ans, à se relever.

– Soit ! dit-il simplement. Qu'il en soit selon la volonté du peuple.

Nous avons tous assisté, grâce à la télévision, au couronnement qui eut lieu à Reims à Noël 98. Qui ne se souvient de ce cortège qu'on ne reverra peut-être jamais plus : cent trente-deux chefs d'État, trois mille ministres, une multitude de cardinaux et évêques entourant le Saint-Père venu le matin même de Rome, le Grand Rabbin, le Grand Talapoint Bouddhiste, les Grands Maîtres des Loges, Moon en personne, etc. Le président du Conseil constitutionnel ouvrit la cérémonie par la lecture des résultats officiels du référendum pour ou contre le rétablissement de la monarchie :

– En faveur du Rétablissement ..   84 %
– Contre le Rétablissement .....   5 %
– Ne se prononcent pas ....   11 %

Le premier acte du monarque, une fois oint, fut de proclamer une amnistie générale, sauf pour les infanticides.

Nous n'alourdirons pas ce récit avec la description des nouvelles institutions que la France vient de se donner ; elles sont connues de tous et tous ont le loisir d'en apprécier l'efficacité et le prestige. La ferveur populaire qui entoure le trône et le gouvernement n'a pas de précédent dans un passé récent ; mais elle renoue avec

la tradition du lien particulier du roi avec le peuple :
la France est enfin rassemblée !

Roi des Français de par la Volonté du Peuple
(selon la formule sacramentelle), le chef de l'État pré-
side de droit la Nouvelle Communauté française et
l'Europe des Patries. Il siège au palais du Louvre. Le
Premier ministre siège à l'Élysée et son ancien palais
de Matignon a été attribué au deuxième personnage du
gouvernement, le ministre d'État, ministre de la Population. La Constitution de 1958, modifiée en 1962, est
toujours en vigueur, à deux détails près ; premièrement,
les articles concernant la Communauté qui étaient
tombés en désuétude entre les années 60 et les années 90
ont été remis en vigueur ; deuxièmement, le mode d'élection du chef de l'État a été modifié comme dit ci-dessus.
On a gardé tout le reste : la France est un pays éminemment conservateur.

Cette année 1999 s'est ouverte sous d'heureux
auspices ; le 2 février, jour de la Chandeleur, l'École
des hautes études démographiques a publié une série de
statistiques réconfortantes : au 1er janvier 99, la France
comptait environ 110 millions d'habitants, dont environ
60 % au-dessous de vingt-cinq ans, ce qui en fait le pays
le plus jeune du monde. La Communauté, sans la métropole, a 347 millions d'âmes, dont les trois quarts sont
francophones à part entière : c'est ce qu'on appelle la
francitude. En y ajoutant les 260 millions de l'Europe
des Patries, les pays dans la mouvance de la France
représentent un ensemble un et indivisible de plus de
700 millions d'hommes et de femmes. Dans un discours
prononcé en 1969, le prédécesseur de Loubard, le président Tripou, avait souhaité, c'était un vœu pieux, que
l'Europe fût un jour « marquée du sceau de la France ».

Trente ans après ce souhait platonique, la France gouverne l'Europe et la moitié de l'Afrique, jouit d'une influence sans partage sur le monde arabe, a définitivement abaissé la maison d'Autriche et les Plantagenêt d'Angleterre ; et rien ne peut se faire dans le monde sans son aveu.

Et qu'on n'aille pas dire qu'il suffirait d'une révolution sociale pour que tout soit remis en question ! Le parti communiste de France, qui a la haute main sur les partis frères ouest-européens, africains et arabes, réalisant ainsi l'objectif que caressait dans les années 50 son grand secrétaire général d'alors, est le plus puissant parti communiste du monde occidental. Si demain il prenait le pouvoir, ce à quoi il reconnaît lui-même n'être pas prêt, ne serait-ce qu'en raison des difficultés de l'Union de la Gauche, la France communiste deviendrait la première puissance révolutionnaire de l'univers. Que nous importent, au fond, les nuances entre les régimes pourvu que la France éternelle demeure la première ? Le Général n'a-t-il pas dit là-dessus tout ce qu'il fallait dire ?

Les chiffres de l'École des hautes études démographiques permettent de dresser un tableau de marche de « France-Bébés » depuis 1977, année du départ de l'entreprise.

Le nombre des naissances a évolué de la manière suivante : en 1976 il se monta à 782 000 ; de 1977 à 1998, il est passé à une moyenne annuelle de 4 212 000. Soit au total, en vingt ans, une production de 84 millions 240 000 enfants.

La mortalité, pendant les années correspondantes, ayant été de 27 millions, la population de l'hexagone s'établit aujourd'hui à un peu plus de 109 millions.

Dans le rapport qu'il a rédigé avant de prendre sa retraite définitive, Ludovic Hapié a dressé un bilan fort utile, concernant les résultats de « France-Bébés ». Nous le publions ici pour la première fois. Il s'agit de la comptabilité ventilée en fonction des différentes opérations de l'entreprise : au regard de chacune d'elles Hapié fournit le résultat qu'elle a obtenu en millions de naissances. Voici les grandes lignes du Bilan Hapié :

France-Porno	5 200 000
France-Dîme	9 700 000
Pilule défaillante	16 240 000
Diaphragmes percés	1 800 000
Modification de la sensibilité collective	12 430 000
Service militaire mixte	5 200 000
Action Pécus	2 270 000
Action Église	5 310 000
Auto-inséminateurs	19 560 000
Exemples d'en haut	2 720 000
Divers	4 000 000
Total (arrondi)	84 000 000

En regard de ces chiffres, Ludovic Hapié note :

Décès dus à France-Dîme	345
Décès ou disparitions des avortées	778
Suicides de stigmatisées	243
Total	1 366

Soit 1 366 morts pour un gain de 84 000 000 de vies françaises. Tout commentaire est inutile.

Il est possible que cette comptabilité, lorsqu'elle sera étudiée dans ses moindres détails, donne lieu à des controverses sur des points mineurs ; il n'est pas certain, par exemple, que le chiffre attribué à l'effet dans le petit peuple des options natalistes du secrétaire général communiste Pécus soit exactement calculé : certains statisticiens le trouveront bien faible.

Notre tâche tire à sa fin ; mais, avant de mettre le dernier point à ce récit, qu'on nous permette de relater un petit fait bien émouvant. Loubard Ier avait toujours son père, plus que centenaire. Au début de l'automne dernier, le grand vieillard donna des signes avant-coureurs d'une mort prochaine. Loubard se porta à son chevet.

— Mon fils, articula le moribond avec peine, vous n'ignorez pas le mal que je me suis donné pour vous préparer, dès votre petite enfance, à votre destin. Quand vous n'aviez pas encore dix ans, je vous disais que vous régneriez un jour sur la France. Vous en souvenez-vous ?

— Comment aurais-je pu l'oublier, père ? dit Loubard en étouffant un sanglot.

— Vous savez aussi, dit le vieillard, que juste avant votre naissance, et dans le seul but de vous faciliter les choses, j'obtins, non sans difficulté, du Conseil d'État le droit de relever le nom et le titre de l'antique maison des Mirobol ?

— Certes, père, dit Loubard.

— Eh bien, mon fils, sur mon lit de mort je dois vous avouer aujourd'hui la vérité : les arguments et les preuves que je produisis au Conseil étaient faux. Notre famille n'a pas droit de se dire noble ! Nous n'avons pas le droit au nom de Mirobol !

– Mon Dieu ! murmura Loubard en défaillant.

– J'ai eu tort, dit le père, tandis que deux grosses larmes coulaient sur ses joues ravagées par la maladie.

– Papa ! s'écria Loubard, bouleversé.

Mais le moribond se redressa soudain et, retrouvant le ton impérieux d'autrefois :

– Alors, Loubard, qu'attendez-vous donc ?

– Mais quoi, père ?

– Quoi ? Vous me demandez quoi ? Mais vous êtes le Roi en France, que je sache ! Et pourquoi l'êtes-vous, mon fils ? Qui vous a fait roi, sinon votre père ? Pourquoi ai-je conclu un pacte avec Hapié et Loucoum ? Qu'attendez-vous, à la fin des fins, pour me conférer cette noblesse héréditaire qui fait depuis toujours l'objet de mes travaux et de mes peines ? Dans une heure vous m'apporterez le brevet du marquisat de Mirobol, avec les lettres patentes du Roi me conférant la noblesse héréditaire transmissible par les mâles. Allez, le temps presse.

Une heure après, Loubard Ier remettait lui-même à son père les lettres patentes, dûment revêtues du Grand Sceau de France. Le vieillard eut encore la force de lui indiquer d'un signe le tiroir d'une commode. Loubard l'ouvrit et en sortit une boîte ayant la forme d'un coffret à cigares. Elle était lourde, en acier inoxydable, avec un système hermétique de fermeture.

– Placez les lettres patentes à l'intérieur, dit le père. Cette boîte est indestructible, ajouta-t-il en commençant à haleter. Vous la poserez à côté de moi, près de ma main droite, dans le cercueil. Dans mille ans, si

on ouvre ma tombe, on la trouvera intacte et on verra...,
on saura..., on n'osera plus...

Il ne put achever ; son menton tomba ; ses yeux
s'éteignirent. Ainsi mourut le marquis de Mirobol,
ennobli par le Grand Dessein.

Venterol, novembre 75,
par fort vent de mistral.

L'impression de ce livre
a été réalisée sur les presses
des Imprimeries Aubin
à Poitiers/Ligugé

pour les Editions J.-C. Lattès

Achevé d'imprimer le 20 avril 1976
N° d'édition, 76073. — N° d'impression, 9014
Dépôt légal, 2ᵉ trimestre 1976.

Imprimé en France